Michael Rutschky

Berlin – Die Stadt als Roman

For Mark
to remind him
of Berlin.
From Michael
19/11/01

Michael Rutschky

BERLIN

Die Stadt als Roman

ULLSTEIN

BERLIN

Der Ullstein Berlin Verlag ist ein Unternehmen der

Econ Ullstein List Verlag GmbH & Co. KG

Copyright © 2001 by Econ Ullstein List Verlag GmbH & Co. KG, München

Alle Rechte vorbehalten. Printed in Germany

Satz und Lithos: LVD GmbH, Berlin

Druck und Bindung: Offizin Andersen Nexö GmbH, Leipzig

Gedruckt in 📖 Leipzig

ISBN 3-89834-040-6

Verlauf

An vielen Stellen verklärt und verdichtet sich die Stadt so gründlich, daß sie sofort weit mehr darstellt als sich selbst. Dort entsteht die Stadt als Roman.

Die Besucher kennen diese Stellen genau: Das Brandenburger Tor; die Reichstagskuppel; der Potsdamer Platz; et cetera. Die Einheimischen würden gern bezweifeln, daß man dort auf die Stadt als Roman trifft.

Doch die Besucher pflegen ihnen keine Wahl zu lassen. Und so bleibt dem Bewohner nur übrig, andere Orte der Verdichtung und Verklärung hinzuzufügen. Sowie Innenräume, Fernsehbilder, Zufälle am Rand.

Es käme darauf an, die ganze Stadt als Roman zu besetzen. Jederzeit dreht man hier einen Film; wandert ein Bewohner oder Gast vorüber, der in seinem Kopf an einem Gedicht schreibt. Oder dem Roman.

Oft verklärt es die Landschaft sofort, wenn man sie von einem Standpunkt oberhalb betrachtet. Bekanntlich führte der Satan Jesus auf einen Berg, um ihm die Welt zu zeigen. Von dort ist sie als ganze zu bewundern, mit sämtlichen Verlockungen.

Hier in der Stadt fehlen solche Berge. Doch finden sich Äquivalente. Hier erleichtert die Monumentenbrücke zwischen Schöneberg und Kreuzberg, sofern man nordwärts blickt, der Stadtlandschaft ihre Verklärung.

Damals konnte man dort beobachten, wie die Gleisanlagen des Anhalter Bahnhofs umgearbeitet wurden. Die Staatsmacht kehrte zurück, Perfektionierung der Infrastruktur. In der Stadt wuchs kurzfristig eine Wüste heran, erschreckend oder entzückend, wie du willst. Stets muß man die Stadt auch verwerfen können.

10
11

Damals fand sich unter den Graffiti, mit denen gewisse Jugend-Kader die Stadt verzierten oder beschmutzten (wie du willst), auch dies: der Name, den sich jeder Bewohner ebenso wie Besucher zu Recht geben darf (eine Entdeckung, die den Writer soeben begeisterte).

Jeder kann seine Geschichte der Stadt erzählen. »Hier in der Kreuzbergstraße brachte ich lange meine Klamotten zur Reinigung. In dem chinesischen Restaurant speiste ich nur ein einziges Mal. Den russischen Schuster unten an der Ecke frequentiere ich immer noch.«
Die Bewohner erzählen einander ununterbrochen solche Geschichten. Gewöhnlich durchdringen sie die Stadt als unsichtbare Schrift.

Im Rücken ragt spitzig ein Denkmal von 1824 empor, aus Gußeisen, grün lackiert. Es beschwört die Einigkeit der Deutschen, während sie gegen Napoleon, Kaiser der Franzosen, kämpften, eine vergessene Heldensage.

Hier geht es um Erdgeschichte, unvorstellbar ferne Zeit. »Bis dahin war mir«, schreibt 1980 ein österreichischer Dichter, »nie aufgefallen, daß Berlin in einem breiten Urstromtal liegt; die Häuser schienen immer nur wie zufällig in einem steppenartigen Flachland verstreut. Jetzt bekam ich heraus, daß einige Straßenzüge entfernt eine der Stellen der Stadt war, wo einst das schmelzende Eiswasser einen deutlichen Hang gebildet hatte.«

Der Kreuzberg. »Ich setzte mich da nieder«, fährt der österreichische Dichter fort, »und blickte in eine große Senke hinunter, wo sich die Stadt jetzt ganz anders erstreckte und von weit weg, aus dem Talboden, sogar ein Flußgefühl kam.«

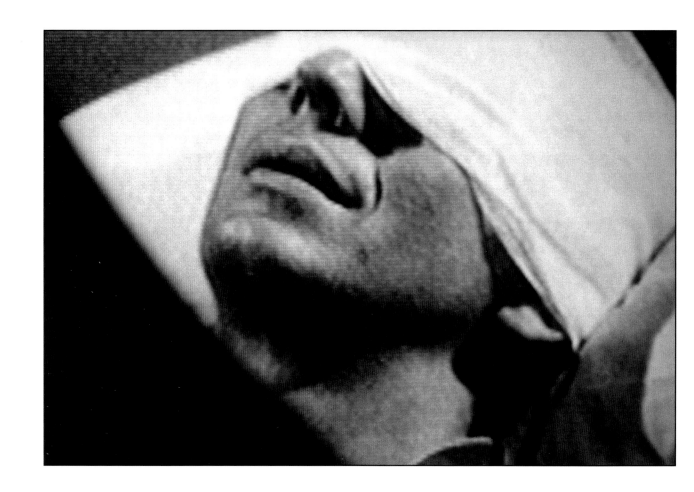

Das Fernsehen spült ein Bildmaterial in die Stadt, das ihre Imagination unermeßlich erweitert.

Welche Geschichte wird hier erzählt? Und wo?

In Los Angeles oder San Francisco, deren Polizeiserien das einheimische Privatfernsehen damals so heftig nachzuahmen versuchte: Junger Bulle erleidet im Kampf gegen das Verbrechen eine gefährliche Augenverletzung – die Kreuzberger Anarchisten klatschten Beifall, denn überall auf der Welt ist der Bulle der Unmensch, der jede Beschädigung verdient.

Weil sich die Stadt aber jederzeit durch die Libido verklärt, die in ihr jederzeit frei zu flottieren scheint, durfte man auch denken, hier werde ein geheimes Sexualritual vorgeführt, dessen Sinn dem Fernsehpublikum verschlossen bleibt, was die Freuden steigert.

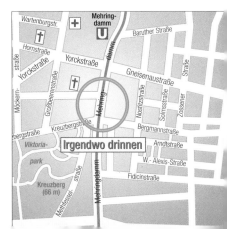

Seit den zwanziger Jahren verkörpert die Stadt das biblische Sodom (und Gomorrha), den Quellort gleichgeschlechtlicher Freuden (die Gott damals verwarf). Es paßt also, daß dieses Piece, wie die Graffito-Schreiber sagen, sich 1995 in der Kreuzberger Hornstraße an einer Kirchenwand fotografieren ließ.

Welcher Mann nach kleinen Mädchen verlangt, hieß es, der reist nach Paris; wer Jungs begehrt, der muß nach Berlin. »Für einen Jungen seines Alters«, schreibt 1935 ein englischer Romancier, »hat Otto fraglos prachtvolle Schultern und einen stattlichen Brustkasten; trotzdem wirkt sein Körper irgendwie lächerlich. Der schöne, gut entwickelte Oberkörper geht zu plötzlich in das unverhältnismäßig kleine Hinterteil und die spindeldürren Kinderbeine über.«

Zu den Rätseln der Stadt gehört, daß das Graffito an der Kirchenwand in der Hornstraße sich in keiner Weise auf diese sodomitische Geschichte bezog. Sondern auf welche?

18
19

E s braucht nur wenige Schritte, um von der Hornstraße in die Großbeerenstraße zurückzukehren, die vom Kreuzberg aus als schmaler Talgrund sich auftut.

Jeder Bewohner weiß, woraus die Stadt im Winter besteht, eine dunkelgraue Brühe, auch wenn sie aus unvertilgbar großen und harten Brocken sich zusammensetzt.

Aber dann kommt der Tag mit dem Licht. Er ist unmöglich herbeizuzitieren. Er tritt von selbst in Erscheinung.

Mit dem Licht kehrt die Stadt auf den Planeten und in das Sonnensystem zurück, wie die Bewohner sich ausmalen dürfen. Die Schachtel, von der die Stadt gewöhnlich eingeschlossen wird, hat sich wie durch ein Wunder aufgefaltet. Ein Wunder, das oft genug geschieht.

D ort wohne ich.« Das kann jeder Bewohner irgendwo in der Stadt sagen.

Gewöhnlich sagt er es einem Besucher, der das noch nicht weiß. »Wenn Sie vom Kreuzberg die Großbeerenstraße herunterkommen, biegen Sie in die Wartenburgstraße links ein.« Dem Besucher darf man haltlos Geschichten erzählen, die ohne ihn ungehört blieben. Wie die Gingkos der Wartenburgstraße im Lauf der Jahre unvermerkt so weit emporwuchsen, daß sie den Fensterausblick verdeckten. Wie im Herbst die Früchte abfallen und stinkend auf dem Trottoir herum-liegen. Prallen sie auf das Auto, das am Straßenrand parkt, und plat-zen, hinterläßt ihr Saft Flecken auf dem Lack, die bleiben.

D aß du dort lebst, beginnst du dir selbst zu erzählen, wenn sich was ändert.

»Damals trat im Hinterhof plötzlich Arbeit in Erscheinung. Fremde Männer, die den Asphaltbelag zerstörten, um ihn zu erneuern. So wurde uns erzählt, was damals überall in der Stadt geschah. Fremde Männer brachen sie auf, machten sie unbewohnbar, um sie zu erneuern, eine Revolution. Den Potsdamer und den Pariser Platz, die Friedrichstraße – kein Ort war mehr sicher, nirgends.

Die Revolution, die Erzählung der Revolution meinte man ignorieren zu dürfen, indem man zuhause blieb. Allenfalls die Jahreszeiten waren zu beobachten; oder neue Nachbarn einzuordnen: Nichts Umwerfendes also.

Wären da nicht plötzlich fremde Männer im Hinterhof gewesen, die im Hinterhof darstellten, wie die Stadt umgearbeitet wurde, Modell im verkleinerten Maßstab.«

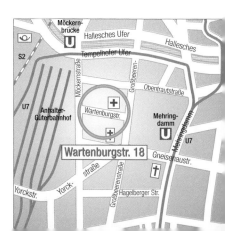

Großaufnahmen zeigen die Stadt so, daß niemand sie erkennt. Das Ohr der Katze wirft seinen Schatten auf ein Blatt weißes Papier. Aber das könnte auch London sein. Oder Rom. Oder ein Traumbild. Die Großaufnahme der Stadt zeigt eine Intimität, in die man so tief hineinkriechen kann, daß Entdeckung ausgeschlossen bleibt.

Aber das hilft nur kurze Zeit. »So wie die Kuh das Gras frißt«, schreibt 1923 ein russischer Dichter (in Berlin im Exil), »so werden die literarischen Themen aufgefressen, die Kunstmittel verschlissen. Ein Schriftsteller kann nicht Ackerbauer sein – er ist ein Nomade; mit seiner Viehherde und seiner Frau wechselt er immer wieder zu neuen Themen über.«

Das gilt natürlich auch für die Stadt und ihre Großaufnahmen.

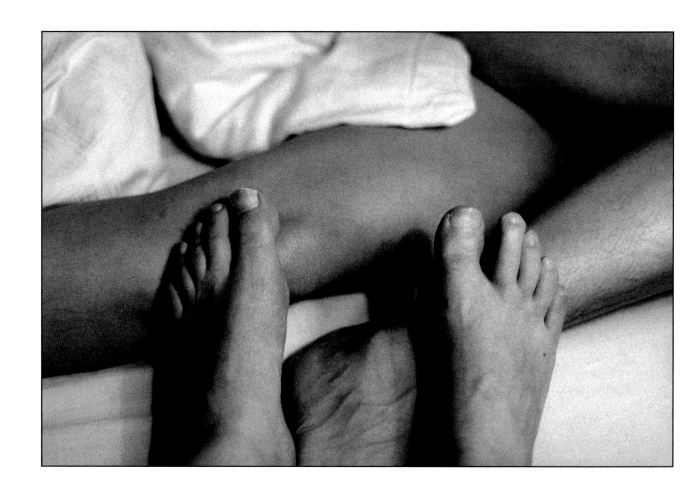

Der Großaufnahme, wie sie die Stadt eher verbirgt als zeigt, be-
mächtigt sich die frei flottierende Libido mit besonderer Leich-
tigkeit.

Gewöhnlich bleibt unbekannt, welche Intimitäten die Innenräume der
Stadt, von außen unsichtbar, ermöglichen. Die städtische Phantasie
liebt sie sich ungeheuerlich auszumalen: Je harmloser die Häuser von
außen erscheinen, um so heftiger tobt es im Innern (wie besonders
gern die Besucher denken, besonders die Besucher vom Dorf, bloß
für einen Tag in der Stadt).

Gewöhnlich bleibt ebenfalls unbekannt, welche von den heftigen Inti-
miäten, die unsichtbar in den Innenräumen sich abspielen, fotogra-
fisch festgehalten werden – auch hier hat der Außenstehende jede
Freiheit.

Hier muß er sich in Spekulationen ergehen, was unmittelbar vor oder
nach der Aufnahme geschah.

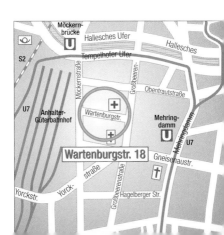

28
29

Während Katzen als Bewohner der Stadt die süßesten Gefühle hervorrufen (und unsichtbar bleiben), sind Hunde gründlich umstritten.

So gründlich, daß, während die eine Fraktion der menschlichen Bewohner sie für idealere Gefährten als Menschen halten möchte, die andere Fraktion diese Tiere aus der Stadt zu vertreiben wünscht; lieber gestern als heute.

Einer der Kriege, die in der Imagination der Stadt toben (die Wirklichkeit bleibt harmlos).

Die Feinde könnte man allenfalls davon überzeugen, daß die Liebe zu den Hunden eine der vielen Perversionen darstellt, die in der großen Stadt nun einmal blühen, eine sexuelle Abirrung. Wie Fußfetischismus oder die Verzückung durch Pelze.

Und solchen Neigungen gegenüber Toleranz zu üben, rechnet zum Ehrenkodex des Städtebewohners.

Die Stadt erhöht jeden ihrer xbeliebigen Bewohner, sofern er in den Einflußbereich der städtischen Imagination gerät, auf der Stelle.

Kein Freund, mit dem an jenem Abend, in der Kreuzberger Wartenburgstraße beginnend, in Richtung Potsdamer Platz spaziert werden sollte, irgendein junger Magister der Literaturwissenschaft, noch unsicher über seine berufliche Zukunft. Vielleicht Public Relations für die Lebensmittelbranche?

Keineswegs. Hier sehen wir in jungen Jahren – so möchte ihn die Stadt sehen – den Dichter, der eben seinen ersten Roman vollendet hatte, ein Buch, worin die Stadt dankbar einen grandiosen Teil ihrer selbst erkennen wird.

Oder handelt es sich um den künftigen Regierungschef, von dem noch niemand sagen konnte, wie er den Kanzlersessel im Spreebogen erklimmen würde?

32
33

S eine Heimatstraße versinkt für den Bewohner in Unsichtbarkeit, mit ihm selbst obendrein.

Krampfhaft sucht er Beobachtbares, das ihn ins Dasein zurückruft. Die Straßenmalerei der Verkehrszeichen.

Im Vordergrund das Craquelé, das auf eine langanhaltende Tätigkeit des Wetters hindeutet. »Eine künstlerische Tätigkeit!« wie der Bewohner dankbar behauptet, sofern er mit Kunst aktiv oder passiv befaßt ist. »Die Stadt ist voll von Wetterzeichnungen. Dies ist ihre Machart. Im Sommer bringt die Hitze dem Straßenbelag feine Risse bei, in die Wasser dringt. Im Winter gefriert es und sprengt die Risse weiter auf, bis sie ein Netzmuster bilden, das auch als Plastik angesprochen werden kann, insofern es dreidimensional im Raum ist.«

Keine Ahnung, ob das die Tätigkeit des Wetters korrekt beschreibt. Der Künstler oder Kunstliebhaber behält seine Beobachtungen genüßlich für sich.

34
35

Nur noch an ganz wenigen Stellen erzählt die Stadt von dem großen Krieg, der sie so gründlich zerstört hat (was ihr Glück brachte). »Das Auge«, schrieb 1947 ein einheimischer Dichter, »hatte sich an den Anblick der kahlen, ausgefransten Hausprofile schon gewöhnt, die in dieser Gegend bis zu ein, zwei Stockwerken aufsteigen, um dann, als hätte der Luftdruck eines Wirbelsturms das Dach mit den Obergeschossen weggerissen, in einer scharf ausgezackten Linie abzubrechen.«

Die romantische Ruine des Anhalter Bahnhofs verdankt sich Sprengarbeiten nach dem Krieg, denen die Fassade unerwartet widerstand – was sie heiligte –: Die Ruine ist also eine rein metaphorische Darstellung des Kriegs. Die Neubauten im Hintergrund – die man gewöhnlich übersieht – erzählen weit realistischer von der allgemeinen Zerstörung. Ebenso die Gleisanlagen, die fehlen, und der grüne Rasen, über den man statt dessen spaziert.

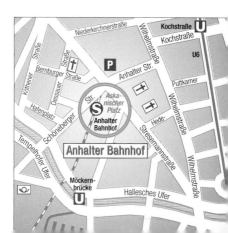

Die Plakate schweigen über den Ort in der Stadt, an dem sie werben – hier für eine Tiefkühlpizza mit Salami. Es könnte auch anderswo als in der Stresemannstraße sein, ein paar Schritte rechts vom Anhalter Bahnhof.

Aber hier konnte man sich gleich Geschichten ausdenken, wessen Appetit die Salami-Pizza im Vorübergehen stachelte. Den der Abgeordneten im Abgeordnetenhaus, die solchen Junk seit Jahrzehnten verschmähen; Assistenten des Bundestags, fremd in der Stadt umherirrend, damals noch schwer von dem Unwissen gequält, wo ihresgleichen angemessen die Mittagspause verbringt; Sekretärinnen in den neuen Bürokratien, die schuldbewußt an das Abendessen dachten, das sie ihren Lieben auch heute wieder als Fertiggericht auftischten.

Und dann das Mittelmeer, das schon so weit nach Norden vorgedrungen ist, daß seine Küche sich in jeder Tiefkühltruhe findet.

38

39

Wer als Ostflüchtling den sog. Todesstreifen betrat, geriet in Lebensgefahr; als Herren der Lage durften sich einzig Grenztruppen fühlen. So mußte die Staatskrise den Todesstreifen in eine allseits beliebte Flaniermeile verwandeln.

Dort trat das Unwahrscheinliche und Wunderbare in besonderer Konzentration auf. Indem man hier entlang spazierte, konnte man es an der Haut spüren, atmen, schmecken – auch wenn überhaupt nichts zu schmecken, zu atmen, zu spüren war, kein apokalyptischer Sturm, schneeige Frische, Frühlingsduft.

Aber wahrscheinlich steigerte seine Unscheinbarkeit das Unwahrscheinliche des Wunders. Der Todesstreifen, der einst die Welt teilte und nur unter Lebensgefahr zu betreten war, jetzt ist er einfach ein Spazierweg, der jedem offen steht, einen jeglichen Tag. Noch weiß niemand, daß in Görings Luftfahrtministerium (links) das bundesrepublikanische für Wirtschaft einzieht.

40

41

Ganz einfach: ein Spiegel, der Fahrzeugen den Einblick in eine Ausfahrt erleichtert, neben dem Gropiusbau, in der Niederkirchnerstraße. Man erkennt das Abgeordnetenhaus, das Stadtparlament. Damals erregte die Stadt jederzeit ihr eigener Aufbruch, überall flutete Bedeutsamkeit. Jede Kamera, in der Stadt unterwegs, durfte sich in ein Preisausschreiben verwickelt fühlen, das eine der Stadtzeitungen veranstaltet hätte: »Das Neue Berlin!«

Diese Neuigkeit war etwas Unausdenkliches. Keine deutlichen, lesbaren Zeichen, die Perspektiven entwarfen und Ziele vorgaben. Sondern Gedankenfluchten, Spiegelungen, in denen man sich sogleich grandios verirrt. Das Stadtparlament zog aus dem Schöneberger Rathaus hierher, den ehemaligen preußischen Landtag, und Käthe Niederkirchner starb im Kampf gegen die Nazis.

42

43

Damals hatte die Welt einen Rand – was den Einheimischen nur deshalb auffiel, weil der Rand plötzlich Löcher bekam, was seit Jahren niemand mehr erwartete.

Was gab's drüben zu sehen?

Die Ebertstraße, könnte ich sagen. Aber irgendwie sah man hier stets »Potsdamer Platz«, immer nur »Potsdamer Platz«. Dabei sah man gar nichts, leere Flächen.

Eine religiöse Situation. Indem der Rand der Welt verschwand, änderte sich die Seinsweise der Stadt im Ganzen, was unglaubliche Mengen schierer Bedeutsamkeit freisetzte, die es rechtzeitig in der Stadt zu erspähen galt.

So lange die Mauer noch stand, war das ganz einfach. Man brauchte bloß hinzugehen und durch die Löcher zu schauen, die sie so unerwartet bekommen hatte, das Nichts namens »Potsdamer Platz«, das urplötzlich in Erscheinung trat.

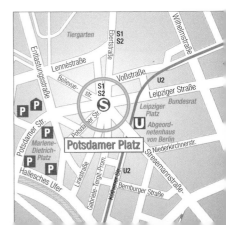

Sofort bemächtigte sich die religiöse Bedeutsamkeit der Neubauten in der wiedervereinigten Stadt. Immer viel zu groß.

Immer wie der Turm zu Babel, von dem man den Himmel ausspähen könnte. »Da fuhr der Herr hernieder, daß er die Stadt sähe und den Turm, den die Menschenkinder bauten«, heißt es im ersten Buch Mose, und diese Herabkunft geht bekanntlich schlecht für sie aus.

Die Bewohner ebenso wie die Besucher, wenn sie diese Plattform erklommen, um den Fortschritt der babylonischen Bauten am Potsdamer Platz zu beaugenscheinigen – fühlten sie sich wie Gott, der kritisch die Hybris der Menschenkinder inspiziert? Oder waren sie eben diese Menschenkinder selbst, die sich an ihrer eigenen Hybris erfreuten? Oder beides in einem?

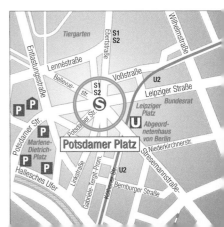

Damals versuchten die Bewohner sich an den neuen Stadtteil am Potsdamer Platz zu gewöhnen, eine vertrackte Arbeit. Alles wie erfunden, nur halb wirklich. Satanswerk? Zu verwerfen?

Den jungen Dichter erfüllte das Fotografieren mit Unbehagen, obwohl gar kein offizielles Dichterporträt dabei herauskommen sollte (kein Passant blieb stehen, weil ihm noch unbekannte Prominenz abgelichtet würde: die Kamera war einfach zu klein und unauffällig).

Damals erfüllte der neue Stadtteil am Potsdamer Platz auch den jungen Dichter mit Unbehagen. Spöttisches Verwerfen der neuen Gassen, ihrer Namen, der Baulichkeiten, unausgesprochen. So war der junge Dichter mit vielen Bewohnern ganz einig. Und ebenso wie sie kam er öfter hierher, um das Satanswerk, die babylonischen Türme zu bewundern.

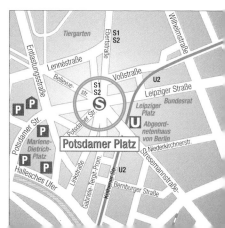

Gern versammelten sich in den babylonischen Bauten Einheimische ebenso wie Besucher, um eine neue Gesellschaft zu imaginieren, mit der die Hauptstadt zu besiedeln wäre.

Gut unterschiedene Gelegenheiten: die Einweihung des neuesten babylonischen Turms; die Filmfestspiele; ein neuer Literaturpreis; und so weiter. Schon die Festlichkeit des Ereignisses erregt die Phantasie, mit der die Gesellschaft sich selbst erhöhen und ihre Bedeutsamkeit steigern konnte.

Vielleicht findet sich hier ein künftiger Regierungschef?

Als Sachbearbeiterin dieses japanischen Konzerns verkleidet, der ihr für das Engagement in der Partei alle Freiheit schenkt (er wünscht zu profitieren). Ihre schwierigste Aufgabe wird die friedliche Teilung Deutschlands (Konföderation). Der nach 1990 neu erbaute Stadtteil am Potsdamer Platz fällt an den Osten. Er gilt inzwischen als die schönste Errungenschaft der im übrigen so mißlungenen Vereinigung.

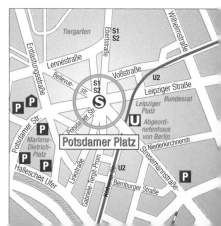

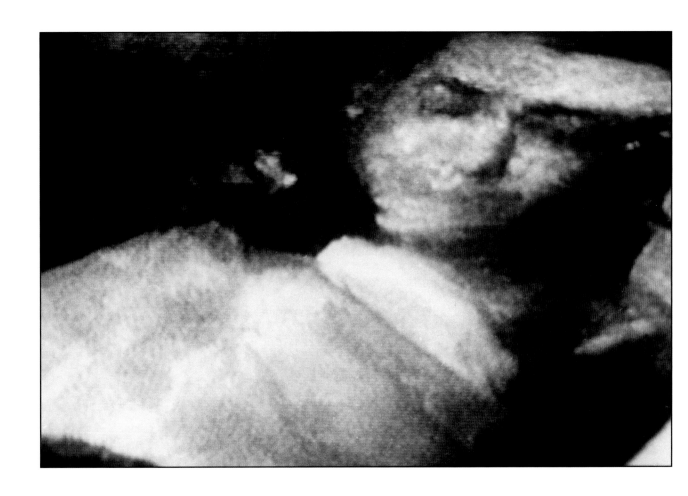

50

51

Ein berühmter Film von 1954, *Les diaboliques*, ausgestrahlt vom öffentlich-rechtlichen Fernsehen, als Klassiker. Ein Schulmann wird umgebracht, das Scheusal, von der Ehefrau und der Liebsten in der Badewanne ersäuft, so glaubt es die Ehefrau (herzkrank). In Wirklichkeit steigt er eines Tages aus der Badewanne wieder raus ...

»Hitler!« scherzt an diesem Abend der ausländische Besucher, dem nach dem Essen nur Fernsehen zu bieten war. »Die blonde und die dunkle Frau, Rußland und Amerika haben ihn niedergekämpft, er war hin, endgültig« – ganz in der Nähe übrigens, 30. April 1945: Man muß nur von der Ebertstraße in die Voss einbiegen, dort stand die Neue Reichskanzlei, ein Wohnblock mit Kindertagesstätte davor.

»Aber dann«, scherzt der ausländische Gast, »haben die Deutschen irgend einen schweren Fehler gemacht. Hitler war wieder da und sammelte die Massen, ein Volk, ein Reich, ein Führer auf dem Potsdamer Platz.« Gelächter.

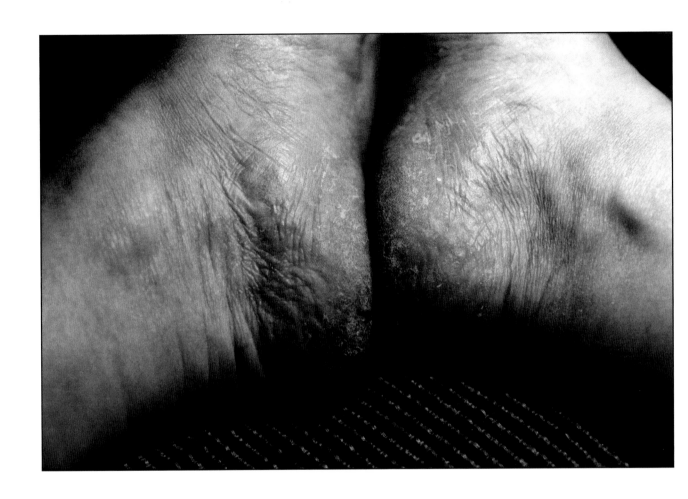

52
53

Damals kannte niemand irgendwen, der in der Neustadt am Potsdamer Platz eine Wohnung unterhielt. Die Imagination kannte keine Innenräume – Salon (mit Fernseher), Schlafzimmer, Küche und Bad – sondern nur Außenflächen. Niemals schritt man die Treppchen zwischen den Türmen zu den Appartements empor, um als Gast bei Freunden, den Neuankömmlingen aus der alten Hauptstadt im Westen, eine Mahlzeit einzunehmen. Unvorstellbar.

So tobte wiederum die freischweifende Libido. »Das schuftete und backte nachts gebrochen«, schreibt 1913 ein einheimischer Dichter, »auf schlechtes Fleisch nach alter Bäckerart. Wir aber wehn. Ägaisch sind die Fluten. Verwirrt im Haar, im Meer die Brüste bluten, vor Tanz, vor Sommer, Strand und Ithaka.«

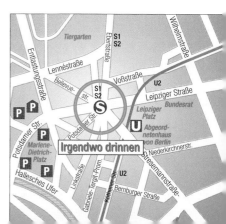

54

55

Damals beschäftigte die Imagination – insbesondere des jungen weiblichen Menschen – heftig die Frage, ob man die Unterscheidung Mann/Frau ersparen, anstrengungslos zwischen beiden hin und her wechseln könne? Das Problem drang bis in die Zigarettenreklame vor; auch dies Plakat ist ortlos, aber ich füge hinzu, es wurde 1999 in der Ebertstraße fotografiert.

Wie verfährt die Stadt mit der Unterscheidung Mann/Frau? Bald hatte sich der Gedanke eingebürgert, der Osten sei Frau, der Westen Mann, im dörflich-traditionellen Sinne. Mann ist aktiv, Frau passiv; Mann verkehrt mit der Welt, Frau bleibt zuhaus; Mann redet ununterbrochen, Frau schweigt still, gekränkt. Undsoweiter.

Die Zigarettenreklame lud die Ost- und die Weststadt ein, die Rollen zu tauschen, denkt der Betrachter.

D amals gingen«, pflegen sich die Einheimischen zu erzählen (sofern sie dabei waren), »wir immer wieder zum Brandenburger Tor, wie die Touristen.

Wo wir seit langen Jahren nicht gewesen waren; es sei denn, wir mußten Gäste begleiten. Während für sie die Stadt sich in diesem Bau verkörperte (Metonymie), war er für uns im Lauf der Zeit verschwunden. Die Staatskrise hat das Brandenburger Tor wieder sichtbar gemacht, ein Wunder. Wir schubsten einander durch irgend einen Grenzübergang, liefen die Linden runter, rannten durch das Tor und kletterten über die Mauer, massenhaft, in der Nacht des 9. November 1989, ein Fest.

Aber so oft wir in den folgenden Monaten auch dorthin gingen«, pflegen die Westberliner diese Erzählung zu beschließen, »es gelang uns nie, das Wunder jener ersten Nacht noch einmal zu erleben. Es war in der Vergangenheit verschwunden.«

58

59

mmer wieder gelingt es also dem Einheimischen ebenso wie dem Besucher, hier und da die Stadt durch ihre Imagination zu verklären. Und dann gibt es Veranstaltungen, die diese Verklärung planmäßig und kollektiv bewerkstelligen: 1994 wurde das kolossale Reichstagsgebäude von einem amerikanisch-bulgarischen Künstler mit dieser riesigen Silberplane eingehüllt. »Was eben noch ein scheußliches Repräsentativgebäude des Wilhelminismus war«, schreibt ein einheimischer Kritiker, »verwandelt eine Kunststoffhaut in das Zauberding aus der anderen Welt, das die Massen der Erdlinge kaum weniger beglückt, als ein Raumschiff wohlwollender Aliens es würde.«

Christo heißt der Künstler. Hier verknüpft sich der Name wie durch Notwendigkeit mit dem einer Popgruppe, zufällig.

Dann ist das Parlamentsgebäude erneuert und in Betrieb genommen, und die Massen kommen zur Besichtigung.

Zufällige Lichtreflexe erzeugen mit Notwendigkeit eine messianische Szene: Über der Schlange leuchtet der Stern der Erwartung. Hoffnungsfroh ordnen sich die Leute darunter ein. Aber worauf richten sich Hoffnung, Erwartung?

Seitens des weißhaarigen Herrn in der Mitte – träumt der kritische Bürger – gewiß auf das neue Selbstbewußtsein der Nation. Die Frau daneben träume von einem starken und guten Deutschland.

Aber das ist egal, das verschwindet sofort. In der Leere und Spannung der allgemeinen Erwartung, die jeden einzelnen Inhalt vernichtet. So jedenfalls ist es seit 1989 den Inhalten immer wieder ergangen. Immer wieder triumphierte die schiere Erwartung, wie's weitergehe?

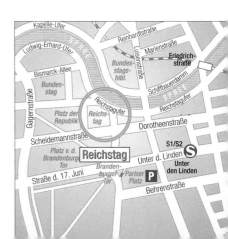

D ie Kuppel des neuen Reichstags«, faßt 1999 ein einheimischer Reporter zusammen, »ist eine seltsame Mischung aus dem Guggenheim Museum in New York und dem Pantheon in Rom.«
Aber die Laufbahnen des Guggenheim führen dich an Gemälden vorüber statt an der Stadt Berlin, und die Kuppel des Pantheon ist eine kassettierte Mauer, undurchsichtig, und du gelangst nicht hinauf. Darf die städtische Imagination sich einbilden, sie übertreffe hier Rom und New York?

Und dann ist an Moskau zu denken, Jewgenij Chaldeij, der an einem Maitag des Jahres 1945 den Rotarmisten fotografierte, wie er zum Zweck des Fotografiertwerdens noch einmal die sowjetische Fahne aufpflanzt, die er ursprünglich an einem anderen Tag über der zerstörten Stadt gehißt hatte. Denn in der zivilisierten Welt galt seltsamerweise der Reichstag statt der Neuen Reichskanzlei als das Herz der Finsternis. Das die Eroberung stillstellte.

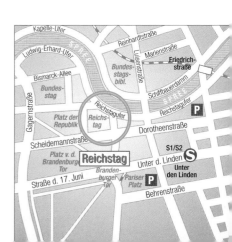

Das mag sein, daß im Zentralpark der Stadt, dem Tiergarten, jeder Einheimische sich von selbst in eine Hauptperson verwandelt.

Das kommt von der Natur. Mit wenigen Schritten verläßt du die Stadt und bist dort. Im Sommer macht das Laub der Büsche und Bäume sie vollkommen unsichtbar; was von ihr übrig bleibt, ist der Verkehrslärm, der sich wie Meeresbrandung in der Ferne anhört, wenn du es so willst.

Im Winter bist du hier öfter ganz allein, wie es der Hauptperson ziemt. Denn in den Straßen der Stadt stehen, laufen und fahren immer so viele andere Leute herum, die ebenfalls die Hauptrolle beanspruchen, zu Recht. Der Nachteil hier draußen, im Tiergarten, vor allem im Winter: Es fehlt jedes Publikum. Wie kann man die Hauptrolle spielen, wenn niemand zuschaut, außer du selbst? Du bist gleichzeitig im Zentrum und verschwunden.

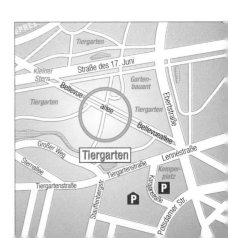

Das kann ich auch nicht erklären. Eines Sommermorgens, auf einer offenen Wiese, gleich hinter der Luiseninsel. Lebensgroß; das Material ist vermutlich Gips.

Soviel ist klar: ein handfestes Zeugnis der homosexuellen Libido, von der die Stadt seit so langer Zeit durchströmt wird. Aber welche Bedeutung soll das Zeugnis erzeugen?

Zwei Männer wollten im Tiergarten der Stadt ihr Liebesglück mitteilen. Statt sich ganzfigurig in zärtlicher Umarmung darzubieten, ließen sie sich von ihren Geschlechtsteilen vertreten (Metonymie), die zu solchen Umarmungen eigentlich ungeeignet sind. Der große Dicke und der dünne Lange, in Ewigkeit sexuell vereint. So etwas erlaubt sich diese große Stadt.

An einem nächsten Sommermorgen war das Liebesdenkmal spurlos verschwunden. Die Kunststudenten hatten mit ihrer Skulptur die öffentliche Aufmerksamkeit befriedigend erregt?

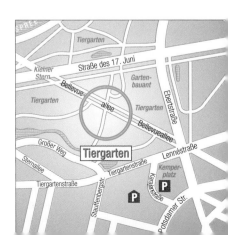

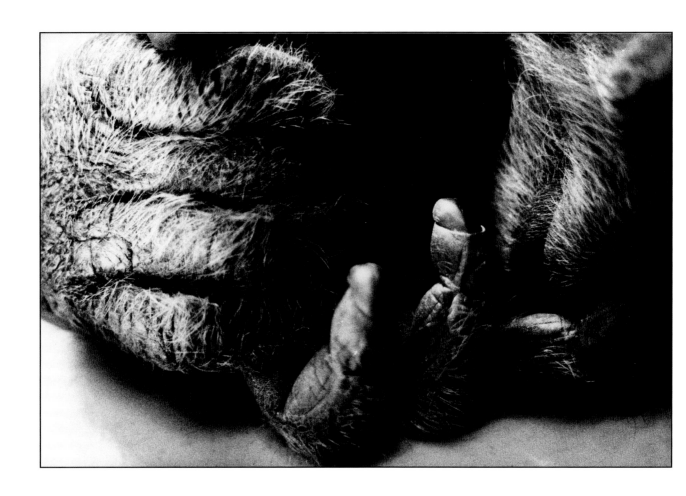

Z uweilen muß den Besuchern erklärt werden, daß es sich bei »Tiergarten« und »Zoo« um unterschiedliche Gelände handelt, obwohl man sich dasselbe vorstellen möchte.

Und was ihre Lage in der Stadt angeht, so gehören Zoo und Tiergarten tatsächlich zusammen; jener ist ein kleiner Teil von diesem.

Aber sorgsam abgezäunt. Während die einheimische (auch die touristische) Phantasie sich die Tiere des Zoos gern als die des Tiergartens vorstellen würde, paradiesische Geselligkeit. Keine Glasscheibe, kein Gitter teilt den Raum, in dem der Orang-Utan schläft und träumt und du aus nächster Nähe seine Hand bewunderst.

Auch hier existiert eine schwarze Version. 1945, Bomben, die Abgrenzung war zerstört, wilderten Krokodile et cetera in den Tiergarten und über die Budapester Straße ins Stadtinnere aus.

Fiele hier die Glasscheibe weg, das Wasser flösse ab, und die Quallen verlören jede Form und müßten sterben. Davon träumt niemand.

Denn womit sie die Betrachter erregend beschäftigen, das ist die Idee nicht menschenförmiger Städtebewohner. Auch die Quallen sind Berliner, ungewöhnlich schöne und wohlgestalte Berliner, die Tag für Tag viele Bewunderer vor ihren Aquarien versammeln. »Die muskulöse untere Fläche des Körpers«, heißt es in einem Lexikon von 1887, »besorgt durch abwechselnde Verengung und Erweiterung ihres konkaven Raums die Ortsbewegungen, indem der Rückstoß des Wassers in entgegengesetzter Richtung forttreibend wirkt.«

Wahrscheinlich genügt es der Imagination, daß die Qualle das Meer in die Stadt bringt, so wie der Orang-Utan den Urwald.

72
73

Es blieb lange ungewohnt, daß man – beispielsweise in diesem Grandhotel an der Budapester Straße, neben dem Zoo – Leute traf, die früher alte Freunde in Ostberlin waren, monatlich besucht. Der Romancier. Regelmäßig konnte er uns zum Abendessen von den lebhaften und intelligenten Widerständen erzählen, auf die sein jüngstes Projekt schon bei den Lektoren stieß. Schon gar bei den freundlichen und feindlichen Gutachten, die sie bei den Kollegen einholten: ein Wirbelwind von Änderungsvorschlägen! Und dann erst die geschichtsphilosophischen Belehrungen, deren der Parteisekretär den Romancier für würdig befand, der Stand des internationalen Klassenkampfs bis in die geheimen Einzelheiten hinein. – Da konnte man sich's richtig gut gehen lassen, mit all den ungeschriebenen Büchern. Jetzt schrieb und veröffentlichte der ehemals Ostberliner Romancier regelmäßig Zeitungskolumnen. Man sah sich selten. Was aber gar nichts Böses bedeutete.

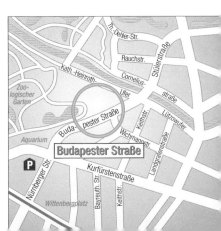

Die Ortlosigkeit der Plakate steigert ihre Möglichkeiten als Ausdrucksträger. Hier wird Oliver Stones Film über Richard Nixon annonciert, der 1995 herauskam (Oliver Stone existiert leibhaftig: ich habe ihn eines Abends in der *Paris Bar* wiedererkannt, als er zur Tür hereinkam).

Zwanzig Jahre zuvor verkörperte der Präsident Nixon in der Stadt den altbösen Feind; daß er, statt auf Lebenszeit im Amt zu bleiben, plötzlich in Schande zurücktrat, blieb dem revolutionären jungen Menschen schwer verständlich.

Wir übergehen die Mehrheit der Westberliner, die Nixon bei jedem Besuch in der Stadt frenetisch begrüßte: Er verkörperte den politischen Willen der USA, Westberlin zu halten, das der altböse Feind, Sowjetrußland, seit langem seinem Imperium einzuverleiben strebte.

So findet sich beinahe die ganze Geschichte an beinahe jeder Stelle der Stadt.

Damals zog die sog. Love Parade durch die westliche Innenstadt, vom Wittenbergplatz über den Tauentzien, an der Gedächtniskirche vorbei, den Kurfürstendamm hinauf. Viel niedliches Jungmenschenfleisch, innig mit Zeigen, Tanzen und Schauen beschäftigt, was der Stadt als eine weitere libidinöse Verklärung ihrer selbst hochwillkommen war.

Aber auch hier findet sich leicht die schwarze Version; die nackten jungen Menschen sind verworfen, die Dämonen der Stadt. »Um ihre Füße kreist das Ritornell«, schreibt 1911 ein einheimischer Dichter, »des Städtemeers mit trauriger Musik, ein großes Sterbelied. Bald dumpf, bald grell wechselt der Ton, der in das Dunkel stieg.« Im Januar 1912 ist er drüben in der Havel beim Eislaufen eingebrochen und ertrunken, mit 24 Jahren.

78

79

D ie Kirche bedeutet weit mehr, als sie ist (unter anderem den Zweiten Weltkrieg sowie Kaiser Wilhelm). Die Reklame-Transparente zitieren historische Reklamen und verformen den Stadtraum durch ihre Proportionen. Aber das ist nicht das Entscheidende.

Sondern der Bürger, der sich eben umdreht und in die Kamera schaut. Er bemerkt, daß er aus dem Auto heraus, das bei Rot an der Ampel hält, fotografiert wird, das gewöhnliche städtische Durcheinander.

Das sich für diesen Bürger in diesem Augenblick restlos aufklärt. Unmerklich kamen an diesem Sommermorgen die Indizien zusammen, das umgestürzte Fahrrad an dem roten Zaun, die drei Männer, die in der U-Bahn ihren warmen Atem auf ihn bliesen, die Baustelle, die seinen Weg zur Arbeit um zehn Minuten verlängert – und jetzt wird er auch noch fotografiert! Aus dem Auto heraus, das an der Ampel hält! – Solche Verfinsterungen der Stadt sind häufig. Jeder kann jeden Tag ausführlich davon erzählen.

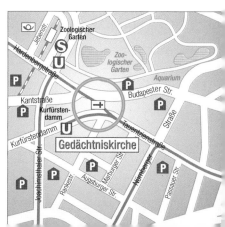

80

Filmfestspiele, ein zur Verklärung der Weststadt erfundener Mechanismus, der sich in viele Einzelmechanismen zerlegen läßt.

Die Eröffnung der Filmfestspiele. Durch die festliche Uraufführung eines Films. In dem ehrwürdigen Kino *Zoo-Palast*.

Damit sind der Ort und das Ereignis schon hinreichend verklärt. Aber dann kommt noch die Prominenz dazu. Und ob du sie erkennst. Während an jenem Abend der Kardinal Sterzinsky unerkannt durchkam (außer bei mir), wußten viele, wer *das* ist (und er wußte, daß viele es wußten): Jürgen Prochnow.

Und dann darf sich noch jeder Zuschauer höchstpersönlich den Film ausdenken, darin der Star auftritt. Vielleicht ein politischer Film: Eben ist Jürgen Prochnow zum Generalgouverneur bestimmt worden, der die friedliche Trennung der West- und der Oststadt organisiert.

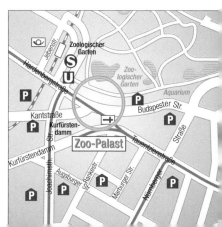

Es finden sich jede Menge Lokale, die als phantasmatische Orte die Stadt verdichten: Wer hier eintritt, ein Glas trinkt, eine Mahlzeit einnimmt, hat mehr davon. Unmittelbar geht die Stadt ein in den Esser, Trinker. Wie auch die Prominenz bezeugt, die an diesem Ort regelmäßig verkehrt, um ihrerseits die Essenz der Stadt zu verzehren und gleichzeitig zu verkörpern (was der normale Bewohner, Besucher nicht vermag).

Die Liste dieser phantasmatischen Lokale ist ständigem Wechsel unterworfen. Auch herrscht keine Einigkeit: Was der eine als Tempel aufsucht, wird von dem anderen als Kloake verworfen. So waren meine Besuche in der *Paris Bar*, Kantstraße, stets zufällig oder notgedrungen, und die leuchtenden Augen der anderen Gäste verstand ich als Irrglauben, der nichts als Hohn verdient.

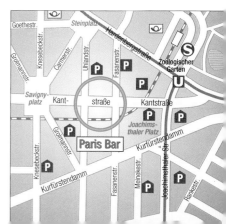

Inzwischen ist dies kalligraphische Graffito an der Kantstraße/Ecke Fasanen verschwunden. Was konnte es sagen wollen?

Unter den Besuchern ebenso wie den Bewohnern hält eine starke Fraktion die Graffiti für Teufelszeug, das schleunigst weg muß, damit die Stadt rein erstrahle, damit sie endlich die Stadt werde, die sie längst sein müßte, undsoweiter. Statt sie zu ehren, verschmutzen und erniedrigen die Graffiti die Stadt.

Das sollte das Graffito dementieren? Ein schönes Wort für eine schöne Sache, schön geschrieben. Weshalb dort auch »Gott« hätte stehen können, oder »Sommer« oder »bald«. Freilich, erkennt man die Graffiti grundsätzlich als Teufelszeug, werden dazu augenblicklich auch schön geschriebene schöne Worte für schöne Dinge.

86

87

Es wäre möglich, daß der Einheimische in seine Wohnung am Savignyplatz zurückkehrt und der Tourist in sein Hotelzimmer und sie den Fernseher anschalten. Das Graffito an der Fasanenstraße noch im Auge, läsen sie: »Creme der Natur«. Solche Verknüpfungen des Unzusammenhängenden liebt der fortgeschrittene Städtebewohner, Städtebesucher, denn sie erregen seine Phantasie.

Denn was soll es bedeuten?

Creme ist Verdichtung. Das Ausgangsmaterial wird schwerer und reicher, das System der Stadt enthält mehr davon als die Umwelt draußen, die nur Uneingeweihte als Natur verhimmeln. Die Füchse, die nachts über die Autostraßen des Tiergartens schnüren; die Bachen mit ihren Frischlingen, die in diesen Tagen den Friedhof drüben an der Heerstraße unpassierbar machen; die Vogelschwärme, die hier in weit größerer Vielfalt zu beobachten sind als draußen in Brandenburg, wie die Zeitung meldet.

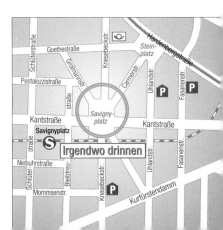

88

89

nnenräume, Großaufnahmen. Deshalb könnte es auch Duisburg sein (oder Düsseldorf), ein Familienfest, bei dem, wie jedes Jahr, die Tochter des Hauses, Apothekerin, Vater an seinem Geburtstag durch ihre Anwesenheit ehrt. So könnte es sein.

Nein. Denn du kennst sie persönlich, eine Germanistin. Je näher sie diese Wissenschaft anblickt, um so ferner schaut die zurück. Sie verwandelt sich in Unfug, Blödsinn, und das macht das Abschlußexamen schwer. Sie kommt gar nicht aus Duisburg; sondern aus Deggendorf in Niederbayern.

Aber die neue Gesellschaft, die sich in der Hauptstadt bildet, könnte sie verwandeln. Das kommende Genie der Software-Entwicklung. Eine dieser unglaublich erfolgreichen Debütantinnen, die eben den schmalen, aber endgültigen Berlin-Roman vorgelegt hat.

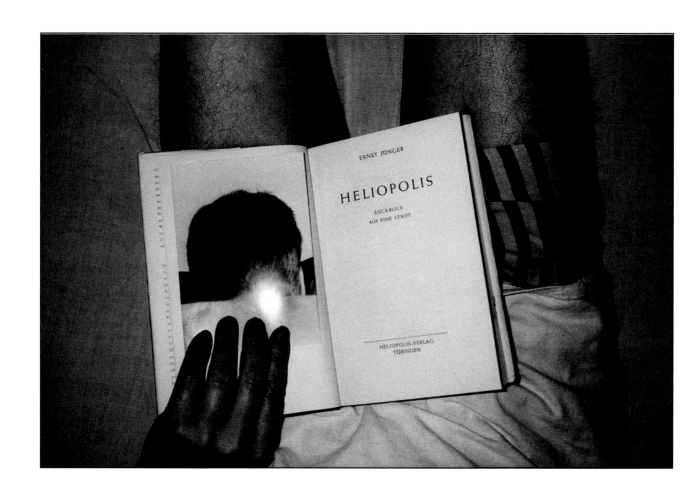

Von Charlottenburg, in dessen schön renovierten Altbauwohnungen sich schon zu Zeiten des eingemauerten Westberlin die ästhetische und politische Boheme versammelte, von den Wohnungen in der Knesebeck- oder der Bleibtreu- oder der Schlüterstraße kann man sich vorstellen, daß hier geheime Rituale mit wertvollen Büchern stattfinden, trennend ebenso wie vermählend.

Dabei geht es stets um das Buch ebenso wie die Stadt. »Das Leben im Burgenlande entspringt aus ritterlichen Quellen, die sich im Zeitlauf klärten und musisch fortströmen«, heißt es dort beispielsweise. »Doch wirkten die großen Veränderungen in der Welt zusammen mit der wachsenden Verfeinerung in anderer Art auf diese Residenz zurück. Sie wurde auf eine fast geheimnisvolle Weise zum inneren Raum, wuchs in die Imagination hinein.«

So etwas sagt man sich gerne von Charlottenburg. Schon gar, wenn man diesen Autor zu den verworfenen rechnet.

W enn man die Leute kennt, ist ausgeschlossen, daß wir in Düsseldorf sind (oder Duisburg). Dies ist Frau L., eine alte Freundin seit den siebziger Jahren. Damals radikal feministisch engagiert, heiratete sie später Herrn B. und bekam mit ihm zwei Töchter. Sie gehörte zur pädagogischen Boheme: Man verdiente sein Geld außerhalb des Schulsystems, mit Deutschunterricht für Ausländer u.ä.

Aber wer frisch aus Düsseldorf in der Stadt war, noch unbekannt in Charlottenburg, wer mit diesem erregten Blick die neue Gesellschaft zu erkennen suchte, der entdeckte unweigerlich Prominenz. Diese Anwältin, spezialisiert auf internationales Filmrecht, ständig zwischen allen Hauptstädten der Welt unterwegs, und heute beehrt sie einen schlichten Familiengeburtstag mit ihrer Anwesenheit.

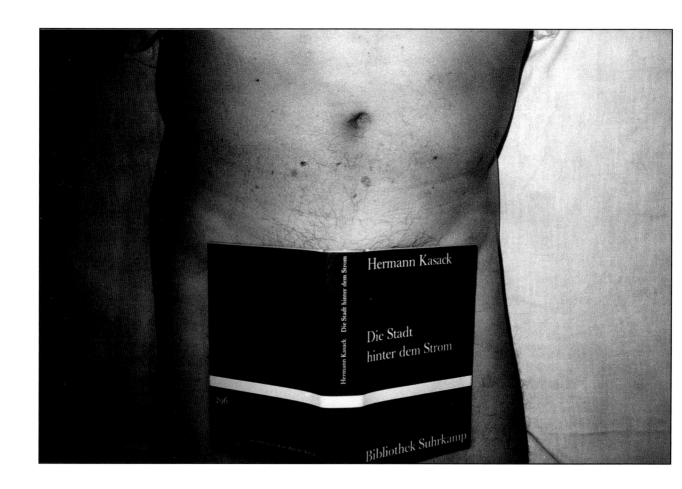

B ei der Trümmerstadt, die das Buch abschildert, soll es sich um Potsdam handeln statt Berlin. Aber damit wäre nichts gewonnen. Oder verloren.

Eigentlich sollte das Ritual mit diesem Buch unbeobachtbar bleiben. Doch öffnet die städtische Libido immer wieder alle Innenräume, wenn nicht praktisch dann schriftlich. »Wachsspiele, Brustklammern und die Peitsche bringen mich zum Spritzen. Bizarre Frau läßt deiner Phantasie freien Lauf.« Oder: »Dominantes Teufelsweib fickt deine Frau hemmungslos ab, während du gefesselt zuschauen mußt.« Oder »Hand im Po! Po öffne dich! Traumfrau ist süchtig nach deiner inneren Wärme.« Oder. »Ich durchblicke deine Aura und mache dich gefügig« – dies eine treffende Beschreibung des Verhältnisses von Buch und Leser, nicht wahr?

Erdgeschichtlich gewitzigt, darf sich die Imagination mit der Eiszeit beschäftigen, die von dieser Seenreihe dokumentiert wird, Grunewaldsee, dann Krumme Lanke und Schlachtensee.

Wer mag, darf in ihnen die Eisberge erkennen, die zurückblieben und abschmolzen und Toteislöcher bildeten (Sölle), aus denen Seen entstanden, in denen sommers Hunde und Menschen vergnügt herumschwimmen, und auf denen winters, bei ausreichender Wiederkehr des Eises, Schlittschuhläufer kurven.

In den Kiefern (und Birken) darf der Spaziergänger den Urwald erkennen, der genau mit diesen Baumarten aus dem Osten herüberkam, als die Eisgebirge verschwunden waren. Die Stadt, begeistert sich die Imagination, liegt inmitten unvordenklicher Naturgeschichte.

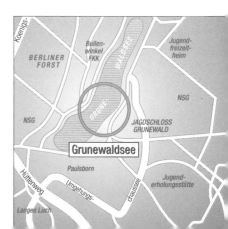

Durch den Urwald aus Kiefern und Birken wandern Städter. Zuweilen umspielt ihre Phantasie die Erdgeschichte, die Eiszeit, was den Sonntagsspaziergang erhöht.

Sodann aber beschäftigen den Städter sonntags im Grunewald ganz andere Sätze. Schon 1927 hat ein einheimischer Reporter solche Sätze mitstenographiert. »Darauf sagt er, er kann mir die Rechnung nicht geben! Sagt er ganz einfach. Na höre mal – wenn ich ihm sage, wenn ich ganz ruhig sage, Herr Wittkopp, gehm Sie mir mal bitte die Rechnung, dann kann er doch nicht einfach sagen, ich kann Ihnen die Rechnung nicht geben! Das hat er aber gesagt!«

Solche Sätze müssen als Poesie erkannt werden. Sie bilden die Stadt als Urwald ab, undurchdringlich. Städter im Wald, redend, das ist Natur inmitten von Natur.

100

101

Um den Grunewaldsee wandern sonntags in Mengen die Städter mit den Hunden. Hier schließen sie die Leute mit den Kindern ein, die sich anderswo in der Stadt gründlich von den Leuten mit den Hunden unterscheiden.

Dies Mädchen heißt Emily und fürchtet sich nicht vor den Hunden. Wenn einer sie anbellt, lächelt sie unbestimmt, nach kurzem Verhoffen. In ihrer vorsprachlichen Zeit lernte sie das Bellen der Hunde als Sprechen ohne Worte und Grammatik verstehen – so wie sie selbst damals sprach, ohne zu sprechen. Emily behielt das Verständnis, als sie selbst in das Sprechen mit Worten und Grammatik eintrat (während viele Kinder das Verständnis verlieren und sogar in furchtbare Angstzustände hineingeraten, wenn das Bellen sie an die gemeinsame Vergangenheit gemahnt).

[In den alten Zeiten Westberlins hätte dies die Domäne Dahlem darstellen können oder einen privaten Gemüsegarten (Westberlin selbst war ein eingezäunter Garten, Hortus conclusus).

Dies ist jetzt Petzow, ein Dorf westlich von Potsdam, vor der Staatskrise dem Westberliner so unbekannt, daß er gar nicht wußte, daß er nichts wußte (schon Potsdam zeichnete sich damals durch eine gewisse topographische Verschwommenheit aus).

Daß der Ingenieur Manfred R. hier Kürbisse anbaut, das soll die Welt darstellen, die aufging, seit die Stadt wieder in einer Landschaft liegt. Viele Westberliner entdeckten, daß sie sich ein Leben hier draußen erträumten – »Jejend, nüscht als Jejend!« – und verließen die Stadt. Urplötzlich verwandelte sie sich in eine, aus der man dergestalt fortgehen kann, aufs Dorf in der nächsten Nähe.]

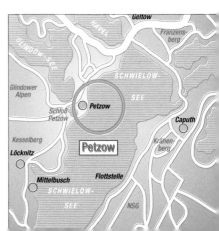

104

105

[mmer noch wirkt die Landschaft draußen vor der Stadt wie eine Erscheinung, vollkommen unerwartet. Warum ist etwas und nicht nichts?

Immer wieder wünscht der Städter sich dieser Erscheinung der Landschaft auszusetzen. Immer wieder hat man das damit erklärt, daß der Städter im Grunde seines Herzens die Stadt verabscheut und sich nach dem freien Draußen sehnt, Wald und Feld. »Aber ein Nebel ging auf von der Erde«, heißt es im ersten Buch Mose, »und feuchtete alles Land«, und dies ist der Paradiesgarten, je schon verloren.

Aber vielleicht verhält es sich umgekehrt. Was dem Städter in der Landschaft erscheint, das ist die Stadt, von der hier ganz unvorstellbar wird, wie nahe sie liegt, gleich hinter jenem Wald. In der Landschaft erneuert der Städter sein Bild von der Stadt.]

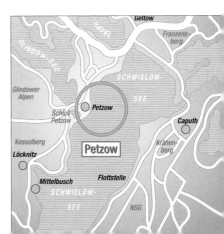

106

107

Aber man hätte in Wannsee – oder am Zoo oder in Spandau – einen der Fernzüge nehmen können, die wirklich aus der Stadt heraustragen, anderswohin, statt bloß in die Umgebung der Stadt; in andere Städte, Duisburg, Düsseldorf, London, was immer.

Gleich beginnt das Phantasieren, wer hier ebenso fort will. Diese Theaterfrau aus dem Osten, die sich noch so gründlich in Schulfragen, in die Pädagogik eingearbeitet hat, daß sie die Behörden anhaltend quälen kann mit praktischen Vorschlägen. Später speist sie im Speisewagen die bunten Blattsalate mit Schafskäse und Oliven – keine Putenbrust- oder Rinderfiletstreifen – Fleisch so selten wie möglich, nicht wahr?

Dann schreibt sie zögernd in ihr hohes und breites Tagebuch und schaut immer wieder großäugig nach den anderen Passagieren, ob sie auch aufmerksam zuschauen aus dem Zuschauerraum, wie sie jetzt schreibt auf der Bühne.

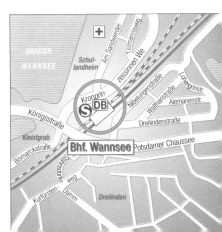

[Was der Hauptstädter in Westdeutschland immer wieder lernt: daß nicht bloß die Hauptstadt eng mit Phantasmen durchsetzt ist.

Sondern auch Duisburg. Unauffällig wußte sich die schwule Libido, aus der Berlin so viel von seinem Stolz gewinnt, auch hier ihre Gelegenheiten zu verschaffen – wenn wir die Libido als den Inbegriff des Phantasmatischen ansprechen wollen.

Aber auch die Techniken, wie man Plakate zur Stadtverklärung nutzt, sind in Duisburg routiniert anwendbar, schon auf dem Bahnhof. Hier muß nur unterschlagen werden, daß der nackte Mann für eine französische Zigarette Reklame macht. Einfach den Text übersehen, der das Plakat rahmt, und einen neuen Text hinzufügen: »Auch auf dem Bahnhof von Duisburg schlunzen Männer aus Papier, als wären sie im Strandbad Wannsee.«]

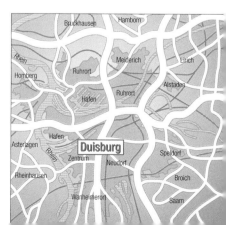

[Düsseldorf. Unvorstellbar, wie viele Städte das vertreten muß, die alle sich dadurch definieren, daß sie nicht Berlin sind, sondern in Westdeutschland liegen. Früher reiste man von hier besuchshalber nach B. und kehrte animiert zurück; später zog die Regierung dorthin und enteignete so das westliche Deutschland seiner ganzen Bedeutung.

Wäre etwas gesagt, wenn ich hinzufüge, daß wir uns auf einem Brückchen befinden, das in der Königsallee das Wässerchen überquert, von dem die rechten und die linken Fahrbahnen getrennt werden?

Früher markierte man den Unterschied zwischen D. und (West-) Berlin, indem man eine solche junge Frau, hübsch dekolletiert und gleichzeitig scheu, für typisch westdeutsch und komplett unberlinisch erklärte. Das ist lange vorbei.]

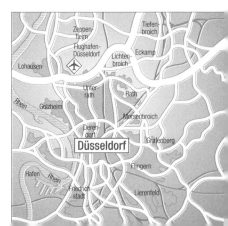

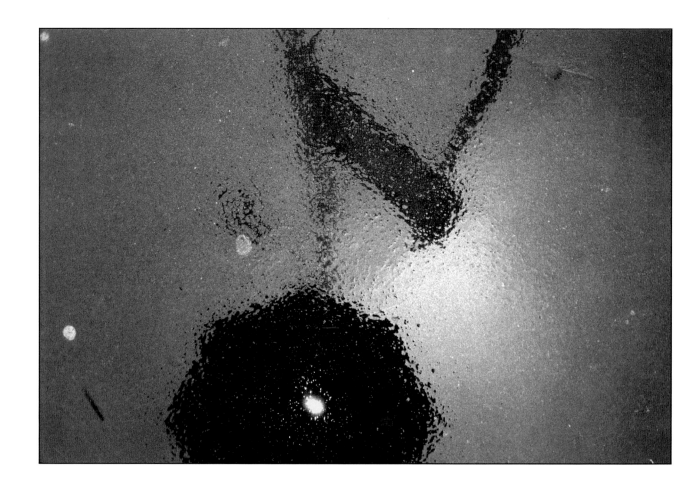

112
113

[London. Das hier also viele Weltstädte vertritt, zu denen Berlin in Beziehung steht. Welcher Beziehung?

Berlin ist nicht allein, und der Einheimische, der die fremde Weltstadt bereist, darf das als eine Entwertung genießen. Anders als Düsseldorf, Duisburg et cetera leidet London im Hinblick auf Berlin keinerlei Mangel. Während sich Berlin selbst immer wieder sagt, es müsse den Vergleich mit London et cetera scheuen. Berlin fehlt noch was.

Was den Besucher aus B. angeht, so führt die Entwertung seiner Weltstadt durch die fremde Weltstadt zu einer Dezentrierung. Während er daheim stets im Mittelpunkt seiner Stadt zu weilen glaubt, wo auch immer er sich gerade befindet, muß er hier dauernd sein Spiegelbild suchen, wer er sei? Eine Pfütze nahe dem Victoria & Albert Museum, die sich dadurch besonders hervortut, daß sie jede klare Antwort vermeidet.]

114

115

Aus London ebenso wie Düsseldorf zurückkehrend, träfe man in Tegel ein. Dort fuhr man öffentlich zum Flughafen – Bahn, Bus, Taxi –, hier steigt man in das Auto, das wartet. Das Privatauto bildet eine Ausdehnung der Privatwohnung bis tief in die Stadt hinein, was eine leichte Ungeschiedenheit beider erzeugt. Der Städter ist in seinem Auto ist in seiner Stadt: alles eins.

Aber wenn er mit dem Flugzeug zurückkehrt, verweilt die Erinnerung noch in dem Luftraum über der Stadt, zu dem es keinen Privatzugang gibt. In der Sicherheit, mit welcher der Einheimische sein Privatauto vom Parkplatz und aus dem Flughafen heraussteuert, zittert die Angst nach, in die ihn oben die Turbulenzen und andere Luftbewegungen versetzten, inklusive der Entscheidungen des Piloten, denen man sich bloß fügen kann, jeder Widerstand zwecklos. Dem Feinsinn des Bürgers beim Ausforschen seiner Stadt sind keine Grenzen gesetzt, wie man immer wieder konstatieren muß.

Die Stadt München wird in B. nachdrücklich durch eine ihrer Zeitungen vertreten. Schon in den sechziger Jahren warb sie zu Sonderpreisen um die Studenten der Freien Universität, und für manche blieb sie fürs Leben die Morgenlektüre.

Obwohl mittels des Lokalteils nicht nur die Stadt München sondern auch das Land Bayern in B. eindrang, und hier existiert ehrwürdige Abneigung, wenn nicht Feindschaft. Morgens beim Frühstück kann man nicht nur das gesamtdeutsche (ortlose) TV-Programm studieren im Hinblick auf Abendvergnügen (Kirk Douglas in *Paths of Glory*, 1957). Sondern auch die seltsamen Politik- und Kulturveranstaltungen, an denen man gestern dort unten teilnahm, als wäre das hier oben von irgendeinem Wert.

So neutralisierte die SZ-Anhänglichkeit diese Aversion, wenn nicht Feindschaft. Und verknüpfte im Imaginären jeden Morgen Norden und Süden fortlaufend für gewisse Kader.

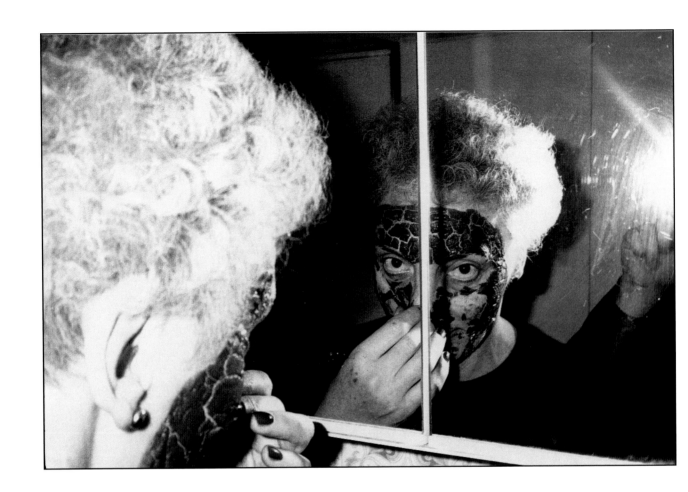

Berliner Ehepaar. Stets befragbar (auch von sich selbst befragbar), ob das was Besonderes sei?

Einen Kerl aus Lüneburg, antwortet sie, (oder Trier oder Fürstenfeldbruck) hätte sie unmöglich nehmen können. Allein der Spott ihres Vaters: »Was ist denn das für ein Provinzmime?« erklärte er jedes Mal. Auch die feinste Herkunftsfamilie blieb ohne Wirkung. Einer Berlinerin steht ausschließlich ein Berliner zu.

Dabei verlebten wir, antwortet er, unsere Kindheit restlos in der Provinz, Flüchtlingsgeschichten aus der Nachkriegszeit. In Berlin zu leben, wenn man verheiratet ist, das war ein Kinderwunsch, in Dörfern und kleinen Städten ausgeheckt (was sich das Kind so unter »Heiraten« vorstellt).

Dagegen sei das Alltagsleben in der wirklich großen Großstadt, ganz anders als der Landbewohner meint, das reine Kinderspiel, wie das Paar bald dankbar gelernt habe.

120

121

Alfred Hitchcock, *The Rear Window,* ausgeliehen in der Amerika-Gedenkbibliothek am Blücherplatz, Kreuzberg. James Stewart, Fotograf, hat sich das Bein gebrochen und liegt fest und beobachtet den Hinterhof, dessen Bewohner die ganze Stadt darstellen. Einschließlich des Mörders, den in seiner Wohnung zu entdecken wohl kein Einheimischer in Wirklichkeit wünscht (dagegen gerät James Stewart in dem Film rasch in Jagdfieber).

Unter den Kinogehern, die Berlin seit langer Zeit so reichhaltig bevölkern, liebt man die Erörterung von Fragen wie: Ist *Rear Window* (1954) der beste Film über das Leben in der großen Stadt? Solche Fragen bleiben unbeantwortbar, aber ihre Erörterung, das Studium aller Beweise und Gegenbeweise bildet für die Kinogeher eine Technik, ihre eigene Stadt zu verzaubern.

122

123

Die Rituale, welchen die Einheimischen unbeobachtet in ihren Innenräumen nachgehen. Sofern sie sexueller Natur sind, gelangen sie irgendwann unweigerlich nach draußen und belegen die leckere Verwerflichkeit des städtischen Innenlebens.

Aber hier geht es um die Zeit. Wie sie die Jungs aufweicht, die einst frisch und blank in die Stadt kamen, um sie, wie vorgesehen, zu gewinnen. »Ich kann ein drastisches Experiment vorschlagen«, schreibt 1993 der einheimische Fotograf mit 50 Jahren. »Man lege die Kamera mit dem Objektiv nach oben auf den Fußboden, betätige den Selbstauslöser und halte das Gesicht darüber. Du schaust aus wie der Vollmond. Das Fleisch hat die jugendliche Spannung verloren und hängt herab.«

Dabei kann es den Betrachter erregen, daß die Stadt bislang alle Einheimischen ebenso wie Gäste überdauert hat. Immer wieder verwandelt sie leichthin Jungs von 20 in Männer von 50.

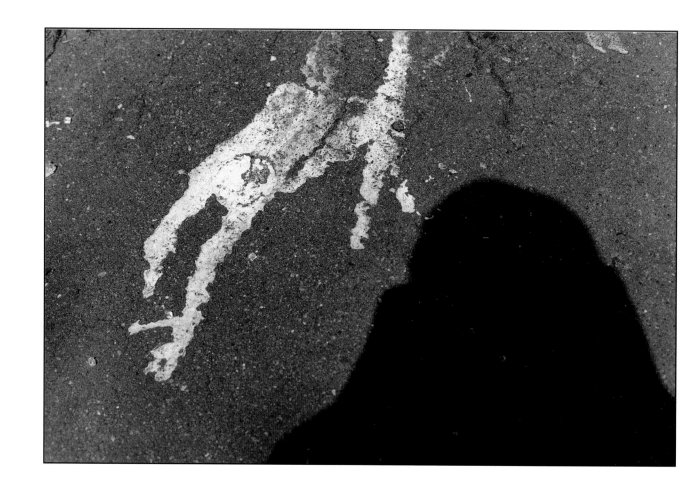

Großbeerenstraße. Der Connaisseur erkennt eine spezielle Form der Stadtmalerei, die eine eigene Dokumentation verlangt.

Immer wieder vermeint der Bewohner, schwer gefüllte Eimer mit weißer Farbe auf dem Gepäckträger seines Fahrrads vom Farbgeschäft nachhause transportieren zu können. Und immer wieder stürzt die Farbe herab. A Bigger Splash. Aus dem Ursprungsteich transportieren Fahrradreifen und Schuhsohlen über das Trottoir ebenso wie die Fahrbahn die Farbe in alle Richtungen, unter Hinterlassung mannigfaltiger Formen, die der Connaisseur präzis an den richtigen Stellen der Kunstgeschichte einzuordnen versteht: »Das ist Fautrier, das ist Franz Kline.«

Wer unter dem Einfluß der allgegenwärtigen Stadtlibido steht, wird hier das Ejakulat erkennen.

Blücherstraße. Das war ein Wirtschaftsminister, wie er bei der allgemeinen Wahl für einen Parlamentssitz kandidierte. An seinem Plakat tobte sich der Anarchismus aus, von dem der Einheimische ebenso wie der Besucher mit Sicherheit weiß, daß er sich in Kreuzberg konzentriere.

So bietet das zertrümmerte Wahlplakat dem Einheimischen und dem Besucher ein anschauliches Exempel von der Staatsfeindschaft, welche die Stadt enthält, ohne daß man an einer der einschlägigen, periodisch wiederkehrenden Auseinandersetzungen teilhaben müßte (etwa am 1. Mai, Kampftag der Arbeiterklasse). Das Wahlplakat des Wirtschaftsministers zerstören, damit fügt man dem Kapitalismus einen unübersehbaren Schlag zu. Niemand soll meinen, er dürfe hier seine Charaktermaske ungestört aufstellen.

So führt die Stadt immer wieder triftig vor, wie sie ihre eigenen Feinde beherbergt.

Wie die Plakate, die Innenräume und die TV-Bilder erlauben die U-Bahnhöfe ein unauffälliges Umsteigen. Leicht gelangt man woanders hin, nach Pankow oder ins Engelbecken, zum Zoo oder zum Dorotheenstädtischen Friedhof.

Niemand kommt (oder bleibt womöglich), um die Poesie des Namens auszukosten. Möckern, schreibt 1887 das vielbändige Konversationslexikon, »Stadt im preußischen Regierungsbezirk Magdeburg, Kreis Jerichow I, an der Ehle, hat ein Schloß, Spiritusbrennerei, Stärkefabrikation, zwei Dampfschneidemühlen und 1714 evangelische Einwohner. Am 5. April 1813 hier siegreiches Gefecht der Preußen unter General Yorck gegen die Franzosen unter dem Vizekönig Eugen.« Unbekannte Helden unbekannte Ereignisse.

So ist die Stadt – in Gestalt ihrer Straßennamen – durchsetzt mit einer vergessenen Geschichte. Wer ihr nachgeht, gelangt sogleich in einen anderen Raum.

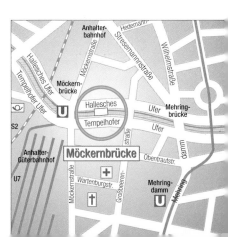

130

131

Damals wußte die Weststadt noch kaum, was sie sich unter dem Engelbecken vorstellen sollte, denn dort war der sog. Todesstreifen verlaufen, wo die Aufmerksamkeit automatisch verblaßte.

Als hier dann Frieden herrschte nach der Staatskrise, wurde der Ort ein Niemandsland, Nirgendwo. Ohne Skrupel durfte man dort seinen Müll abladen, massenhaft, und ohne Einspruch fanden die Berber hier einen Ort zum Siedeln, als wäre dies der ausgefranste Stadtrand draußen (und nicht zwischen Kreuzberg und Mitte).

Man kam gern hierher. Der Müll zusammen mit den Berbern steigerte das Imaginäre des Ortes: »Am Engelbecken steht man vor dem Kehrrichthaufen der Geschichte.« Normalerweise flößt ein solcher Ort dem Bürger Abscheu ein; damals nicht.

Heute findet man hier eine sorgsam rekonstruierte Parkanlage.

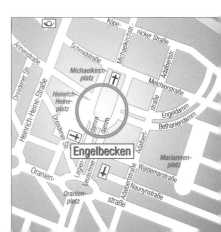

Von der Oberbaumbrücke nach Mitte blickend, darf man sich einbilden, man komme über das Weltmeer in die Stadt hinein, was sie auf der Stelle so gründlich verklärt wie der Blick von oben herab (den Satan Jesus auf die Welt tun läßt). Oder der Blick, der aus dem Wald zu kommen scheint, in welchem man tagelang herumgeirrt wäre, um endlich doch den Weg ins Freie, in die Stadt zu finden.

Wenn Berlin am Meer läge, grenzte es direkt an die Unendlichkeit (die das Gebirge oder der große Wald nur unvollkommen vorstellen). Für das Alltagsleben in der Stadt wäre die Unendlichkeit des Weltmeers gewiß folgenlos, dank langer Gewöhnung. Aber so begeistert den Bewohner ebenso wie den Besucher der Gedanke, hier erstrecke sich der Ozean in seinem Rücken – statt bloß der Spree.

Nicht nur Touristen, auch Einheimische genießen das Schiffchen-
fahren auf dem vielen Wasser, das die Eiszeit der Stadt hinter-
ließ. Wir dürfen uns ein unterirdisches Meer ausmalen, worauf die
Stadt ruht, und das an so vielen Stellen zutage tritt, worauf man jetzt
schwimmt.

Die Stadt, die man vom Wasser aus sieht, ist gründlich unterschieden
von derjenigen, welche auf ihren Straßen und aus ihren Fenstern er-
blickt werden kann. Denn statt auf festem Grund zu stehen oder zu
gehen, wird der Betrachter vom Wasser getragen und gewiegt.

Und Frieden zieht in sein Herz. Urvertrauen übernimmt die Macht.
Und seine Majestät, das Ich, weiß wieder, daß ihm im Grunde nix
gschehn kann.

Der Politikprofessor könnte seine Studenten auf Recherche schicken: Finden Sie im öffentlichen Raum der Stadt den Namen Josef Stalins! (Ausgeschlossen seien die Schaufenster von Buchhandlungen und Antiquariaten.)

Hier würden die Studenten fündig, im Treptower Park, bei der großen Anlage zu Ehren der Roten Armee. Obendrein ist Stalins Name – einmal mit lateinischen, einmal mit kyrillischen Buchstaben – in einen Marmor gemeißelt, der aus Adolf Hitlers Neuer Reichskanzlei an der Voßstraße stammt (gleich hinterm Potsdamer Platz). Zwei Reihen mit Sarkophagen, voll der Reste von Soldaten, die in Berlin starben, während sie den Sieg im Großen Vaterländischen Krieg erkämpften.

Wer dort steht, weiß gar nichts zu sagen. Auch die Stadt schweigt sich nachhaltig und verlegen aus.

Treptow, an der Spree, man hätte den dichten grünen Plänter-wald im Rücken. Es wurde die Arbeiterklasse beobachtet, wie sie den schönen Sommertag genießt.

Unvorstellbar, daß man in bürgerlichen Vierteln wie Lichterfelde oder Zehlendorf romantische Blicke auf eine Industrieanlage wirft. Dort würde man ein solches Visavis unbedingt verwerfen: Soetwas rech-net zur grundsätzlichen Häßlichkeit der großen Stadt, die jeder Ver-klärung widersteht.

Der Arbeiterklasse freilich wurde stets Liebe und Bewunderung für die Technik nachgesagt. »Mit der Entwicklung der großen Industrie«, schreibt 1848 ihr Prophet, »wird unter den Füßen der Bourgeoisie die Grundlage selbst hinweggezogen, worauf sie produziert und die Pro-dukte sich aneignet.

Sie produziert vor allem ihren eigenen Totengräber. Ihr Untergang und der Sieg des Proletariats sind gleich unvermeidlich.«

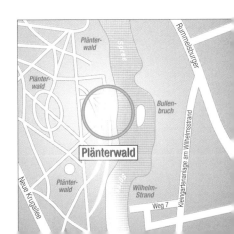

Schon um 4 Uhr 57 morgens kann man unter der Woche vom Bahnhof Berlin-Lichtenberg nach Küstrin aufbrechen (über Herrensee und Müncheberg und Seelow). Der Zug nach Stettin geht um 8 Uhr 03 (über Bernau und Angermünde und Tantow). Nach Moskau kann man vom Bahnhof Lichtenberg um 17 Uhr 17 aufbrechen (über Posen und Brest und Smolensk) und landet dort um 21 Uhr 59 in einer anderen Zeitzone. Ebenso Kiew (über Warschau und Lublin), Abfahrt 21 Uhr 42, Ankunft 5 Uhr 46, wieviele Tage auch immer später. Der Osten, an den die Stadt leichthin grenzt, kommt in der Phantasie der Bewohner und Besucher noch kaum vor, sofern sie Westler sind. Während Besucher aus dem Osten, der ukrainische Zugschaffner ebenso wie die polnische Putzfrau, Utopia zu betreten hoffen.

142

143

Die Urbevölkerung. Dies könnte Wassilij sein, eine deutsch-sow-
jetische Liebesfrucht, die schon 1986 Entwicklungen ankündigte,
die noch niemand zu erwarten verstand. »Eine schöne Jungbürgerin
der Hauptstadt der DDR«, schreibt der Westberliner Reporter, »lernt
im Sommer, beim Baden draußen, an einem der märkischen Seen,
einen schönen jungen Mann kennen. Ein russischer Soldat. Es wird
eine ganz, ganz große Liebesgeschichte. Unter deren Ansturm seine
Kameraden und sogar die unmittelbaren Vorgesetzten sich ver-
schwören: Sie schirmen ihn so ab gegen das Kasernenleben, daß er
für mehrere Wochen verschwinden und bei seiner Liebsten in der
Hauptstadt leben darf.«
Sie werden eine damals unglaubhafte Karriere einschlagen, in der
sogar Afrika und Sibirien vorkommt.

Der Volkspark Prenzlauer Berg besteht aus einem Kriegs-trümmerhaufen, der gestaltlos von Bäumen und Gebüsch be-wachsen und von asphaltierten Wegen durchzogen wird. Mißtrauisch beobachtet der Westler die Urbevölkerung.

Die kleinen Jungs, die oben auf der Plattform ihre Drachen steigen lassen: warum werden sie von chinesischen Fabelwesen geschmückt? Es sollte der Reichsadler sein; denn im Osten vermutet der Westler eine stark deutschnationale Strömung, in der schon die Kleinen schwimmen. Hier werden Ostasiaten wie Afrikaner vertrieben; hier träumt man von einem guten König, der das Parteiengezänk beendet und die Waren gerecht verteilt.

Weil man das nur so selten fotografierbar zu sehen bekommt, muß das Sichtbare durch die Imagination ersetzt werden.

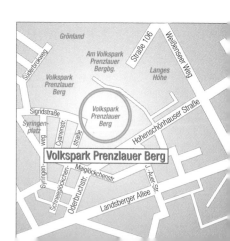

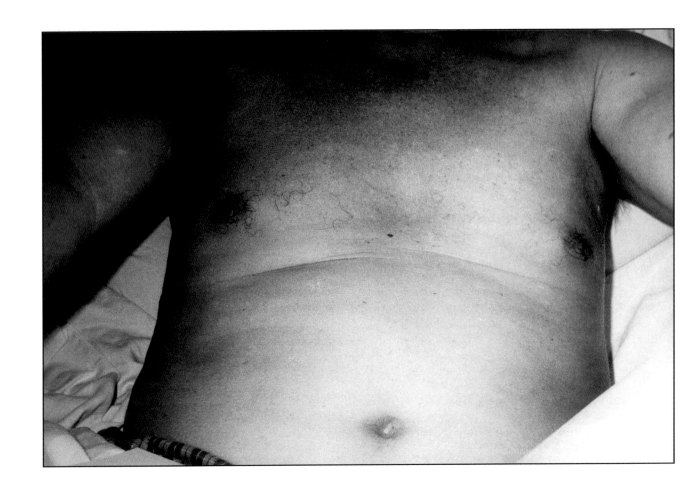

In vielen Hinsichten haftet die Urbevölkerung der Oststadt am Vorbild des Proletariers. So pflegt er – gleich welchen Alters – an heißen Sommertagen bei sich daheim halbnackt herumzulaufen, auch wenn Familie und Freunde die Wohnung teilen.

Und so hält es auch der Literaturprofessor von 55 Jahren, der in der Hufeland- oder der Immanuelkirch- oder der Sredzkistraße wohnt. Halbnackt hat er sich nach dem Mittagbrot zum Lesen auf sein Bett zurückgezogen, während der hübsche Sohn zum American Football radelt. Was liest der halbnackte Literaturprofessor aus der Urbevölkerung?

Vielleicht Dostojewski: »An einem außerordentlich heißen Tag zu Anfang Juli verließ gegen Abend ein junger Mann die kleine Stube, die er als Untermieter in einem Hause der S.-Gasse bewohnte, trat auf die Straße hinaus und ging langsam und, wie es schien, unentschlossen auf die K.-Brücke zu.«

Zwar blieb Hollywood der Urbevölkerung keineswegs unbekannt, doch hielten es auch die Gegner der SED zuweilen für eine Agentur des Klassenfeindes.

Dem französischen Kino dagegen durfte man sich anheimgeben. Françoise Dorléac in *La peau douce* von François Truffaut (1964). Literat versucht Liebschaft mit Stewardess, ist aber zu feige und wird von seiner rachsüchtigen Ehefrau erschossen.

So schauen echte Menschen aus; so eine schöne Frau zu sein darf man sich wünschen. Solche Tragödien schreibt das Leben selbst, wenn die gesellschaftliche Entfremdung zurückgedrängt und der Humanismus in seine Rechte eingesetzt ist.

Françoise Dorléac starb 1967 bei einem Verkehrsunfall. Diesen Kadern der Urbevölkerung leuchtete ein, daß Frankreich ihre Schwester Cathérine Deneuve irgendwann zur Verkörperung der Nationalfigur Marianne heranzog.

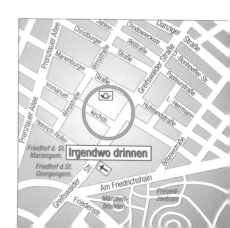

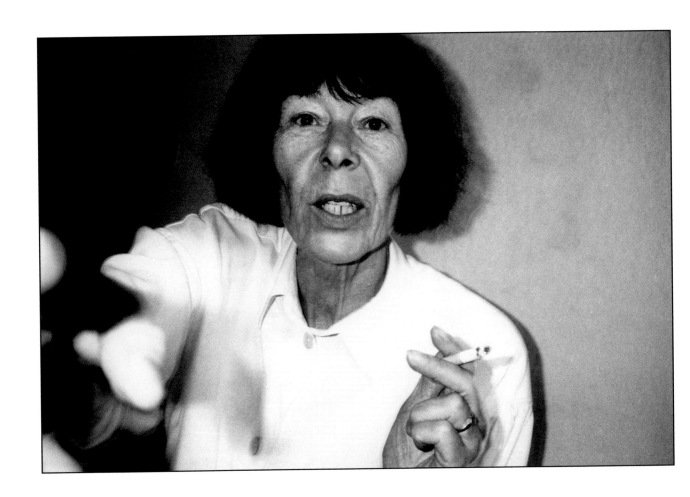

Dies könnte die Schauspielerin sein, die sich so heftig wie niemand in ihrer Familie die Abschaffung der DDR wünschte und dann erst einmal abstürzte. Arbeitslosigkeit, Werbesendungen im Radio, amerikanische Fernsehserien synchronisieren. »Bald geht's auf den Straßen von Berlin zu«, tobte sie lustig, »wie auf den Straßen von San Francisco!«

Denn trotz der Deklassierung verbesserte sich die Laune jener Schauspielerin unaufhörlich. Den Untergang der DDR schätzte sie weit höher als ihre Karriere, die unterm Sozialismus recht ordentlich verlaufen war. Doch machte sie eben dies der SED zum Vorwurf: daß sie ihr, trotz geringer Begabung (wie sie meinte), ein angenehmes Leben auf dem Theater ermöglichte, wobei es die Geschichte noch zusätzlich kompliziert, daß die Schauspielerin das Theater der DDR für bedeutend hielt, weit bedeutender als das Theater der BRD ...

Aber vermutlich handelt es sich um jemand ganz anderes.

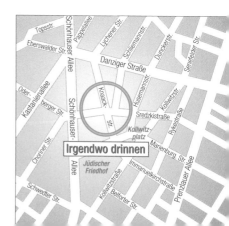

152

153

Das liebten manche Westler anfangs am Prenzlauer Berg, dies Ruinöse. Das entspricht am deutlichsten den Vorgaben der Romantik, die freilich die Reste von Burgen, Schlössern und Tempeln vor Augen hatte (statt verfallender Straßenzüge), von Efeu oder wilden Rosen überwuchert.

Der schwarze Mann dagegen erinnert an das berühmte Nazi-Plakat aus dem Krieg, das vor fremdländischen Spionen warnte und die Deutschen zum Beschweigen der Geschehnisse ermahnte: »Feind hört mit«. Bösartig könnte man das auf den Westler beziehen, der frisch im Osten seinem lange vergessenen Privatbesitz nachging, der Häuserblock, den der Ahne 1926 in der Pappelallee erwarb.

Der schwarze Hund schließlich ist ein ehrwürdiges Emblem der Melancholie. Der britische Premierminister Winston Churchill, der den Krieg gewann, nannte seine periodische Depression *black dog*.

Wie fügt man das alles zusammen?

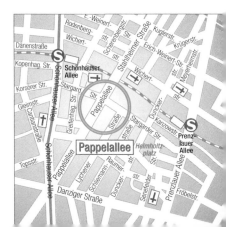

154

Schönhauser Allee, kurz bevor sie die Torstraße kreuzt (die früher nach dem DDR-Präsidenten Wilhelm Pieck benannt war).

Eine Ruine, die außerhalb der romantischen Vorgaben liegt. Hier gibt es keine Kriegsfolgen zu bedenken, die zu beseitigen der Sozialismus zu arm war. Auch keine Folgen des Sozialismus, denen er bekanntlich hilflos ausgeliefert war (abgebrochene Neubauten; Altbauten, die der Zahn der Zeit ungehemmt zerfraß). Dies ist kein Denkmal, angesichts dessen man sich mit den Schrecken der Geschichte beschäftigen soll.

Dies war eine Baustelle. Hier entstand ein feines Restaurant für die Arbeitsessen der neuen Gesellschaft, die in Berlin entstehen wollte. Die Phantasie müßte die Zukunft ausmalen, was ihr leicht mißlingt, sofern sie nicht schwarz sieht.

Die Urbevölkerung. Dies könnte der Romancier sein, wie er die postsozialistischen Schicksale seines Sohnes rühmt.

»Lange Jahre konnte der Romancier«, erinnert sich 1999 ein Westberliner Kritiker, »uns bei den üppigen Abendessen – stets kamen wir wie verhungert in der Hauptstadt der DDR an – in dem kostbar möblierten Eßzimmer mit den Einzelheiten seines großen Brechtromans unterhalten. Alle Gründungs- und Entwicklungsschwierigkeiten der DDR sollten darin unterkommen. Wie Brecht hier seinen Wohnort wählt; das Berliner Ensemble und seine internationalen Erfolge – zuhause die Auseinandersetzungen mit der Partei.

Es verstand sich, daß dieser Brechtroman nie fertig wurde. Denn er stieß in allen Phasen auf den ebenso lebhaften wie intelligenten Widerstand des Apparates – und davon erzählte der Romancier am liebsten und anschaulichsten.«

Aber vermutlich handelt es sich um jemand ganz anderes.

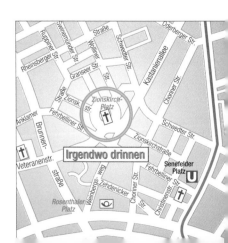

Immer wieder kommt die Imagination auf die Zeit zwischen den Zeiten zurück, während der Staatskrise, als die Stadt in einem Raum zwischen den Räumen lag.

Und solche Zeiten und Räume fanden sich damals eben auch reichlich innerhalb der Stadt selber. Hier könnten wir irgendwo zwischen Wedding und Mitte stehen, Bernauer Straße vielleicht, die beim Bau der Mauer so oft fotografiert wurde. Aber jetzt würde man den Ort keinesfalls wiederfinden. Er ist in der Zeit verschwunden.

Der Schnee auf der Landschaft kommt aus Sibirien. Man wandelt auf einem zugefrorenen Fluß. Der Häuserblock links ist ein Wald oder eine Felswand. Oder das Schloß, das so lange die Besatzungsmacht beherbergte. »Lange stand K. auf der Holzbrücke, die von der Landstraße zum Dorf führte, und blickte in die scheinbare Leere empor.«

Hier in der Nähe hat Brecht gelebt. Auch der Dorotheenstädtische Friedhof mit seinem Grab liegt um die Ecke. Und für den Weg zum Berliner Ensemble, das am Bertolt-Brecht-Platz residiert, braucht es zu Fuß zehn Minuten. Kein Mangel an Tafeln und Denkmälern und in Bronze gegossener Schrift.

Dies ist das zentrale Brechtgelände der Hauptstadt, träumt wohlwollend der Westler, und die Einheimischen verehren ihn so gründlich, daß sie seine Initialen noch extra von Hand mit Farbe an die Wand malen – aber nicht doch! bremst der Ostler grinsend ab. Haben Sie wirklich keine Ahnung, was das BB bedeutet?

Die Anweisung an den Heizstofflieferanten, daß hier Briketts ebenso wie Braunkohle einzukellern sind. So der Usus in der DDR. Selten verwirft die Stadt die Verklärungswünsche so drastisch.

So fragt man sich trotzig: Warum nicht weiterhin »Bert Brecht« lesen? Trotz alledem.

Die Urbevölkerung, wie sie über die Bühne der Oranienburger Straße huscht, die sich zu einer Altstadt – das zentrale Vergnügungsviertel mit vielen Cafés, Bars und Restaurants – auswächst.

Dies könnte Tamara Goyschke sein, die junge Theaterfrau mit der vorzüglichen Ausbildung, die ein paar Jahre zu spät kam: Ihresgleichen weckte durch aufsehenerregende Aufführungen den Widerstand des Apparats und wechselte dann zu Sonderkonditionen in den Westen (Rückkehr jederzeit möglich), ein seinerzeit gut eingespielter Friedensmechanismus des Kalten Kriegs.

Aber als sie ihr ersten bescheidenes Engagement erhielt, befand sich die DDR in Auflösung, keine Gelegenheit mehr, die Partei zu erregen. Schlimmer: plötzlich schaute ihr überhaupt niemand zu, und vermutlich ist sie heute nicht wiederzuerkennen.

Tucholskystraße: der nächtliche Schreiber wurde überrascht, so daß er nicht fortsetzen konnte, wer oder was er sei? Pünktchen? Oder Anton? Oder Erich Honecker? Oder Marlene Dietrich? Vielleicht wollte er schreiben, daß er glücklich sei? Oder tot?

Vor dem Sozialismus hieß die Tucholskystraße seit unvordenklicher Zeit Artilleriestraße. Hier wohnt Anton mit seiner Mutter, schlechte Gegend. Pünktchen lebt auf der anderen Seite des Wassers, Villa am Reichstagsufer.

»Sie gingen die Spree entlang«, heißt es in dem berühmten Kinderroman von 1931, »über eine kleine eiserne Brücke, den Schiffbauerdamm hinauf, die Friedrichstraße links herum, bogen rechts um die Ecke, und da waren sie in der Artilleriestraße. ›Ein sehr altes häßliches Haus‹, bemerkte das Kinderfräulein. ›Sieh dich vor, vielleicht sind Falltüren drin.‹«

Darunter der Tod oder das Glück, Honecker oder Marlene.

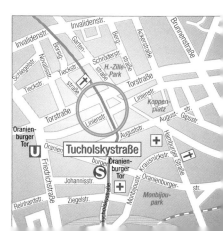

Alexanderplatz. Damals war die Staatskrise noch ganz frisch, eine große Begeisterung. Der Besucher aus dem Westen suchte sich solidarisch mitzuerregen angesichts der welthistorischen Perspektiven.

»Wind gibt es mächtig am Alex«, heißt es in dem berühmten Stadtroman von 1929. »So ist kaputt Rom, Babylon, Ninive, Hannibal, Cäsar, alles kaputt, denkt daran. Erstens habe ich dazu zu bemerken, daß man diese Städte jetzt wieder ausgräbt, wie die Abbildungen in der letzten Sonntagsausgabe zeigen, und zweitens haben diese Städte ihren Zweck erfüllt, und man kann nun wieder neue Städte bauen. Du jammerst doch nicht über deine alten Hosen, wenn sie morsch und kaputt sind, du kaufst neue, davon lebt die Welt.«

Bald wird die moskowitische Beklommenheit verschwinden und internationale Leuchtreklame die schöne Leere rahmen, und die Urbevölkerung weiß nicht, ob sie das preisen oder verwerfen soll.

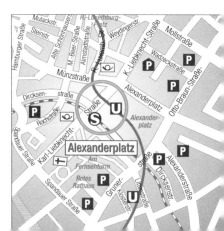

D as Schloß, hier kreist und tobt die Phantasie besonders heftig und konzentriert. Wenn man das Schloß, 1950 vom Sozialismus beseitigt, wieder errichtet, damit wäre die Stadt ein für allemal an zentraler Stelle erhöht und verklärt, mehr als die Stadt: die ganze Republik.

Das gelingt dem wiederhergestellten Schloß durch seine schiere Existenz. Was reinkommt, wird später entschieden. (Weder der Bundespräsident noch der Bundestag noch der Bundeskanzler.) Das neue Schloß erzeugt seinen grandiosen Inhalt von selbst, wir brauchen bloß zuwarten.

Das ist doch schon wieder der leere deutsche Nationalismus! tobt die Opposition. Deutschsein heißt das Berliner Stadtschloß um seiner selbst willen wieder aufbauen.

Unterdessen schwelgt der Osten verbittert in den schönen Erinnerungen an bunte Abende im Palast der Republik.

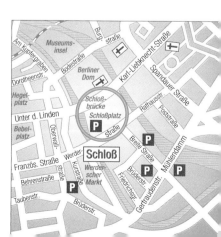

Ununterbrochen wird die Stadt fotografiert, von den Einheimischen ebenso wie den Fremden (und wer die Leute mit der Kamera aufnimmt, gehört ja dazu; auch wenn er das zu ignorieren pflegt). Dies Fotografieren erklärt sich daraus, daß irgendwas die ganze Zeit unsichtbar bleibt. Der Umsturz – der ja schon eine Weile zurückliegt und jedes Jahr weiter zurückliegen wird – brachte die Stadt neu zur Anschauung: Wer es weiß, erkennt hier den Dom sowie den Palast der Republik. Aber was wäre das trotz allem Unsichtbare?

Die Bedeutung. Etwas Welthistorisches soll ja geschehen sein: Rom, Babylon, Ninive, nach dem habsburgischen und dem ottomanischen stürzte das sowjetische Imperium zusammen, was hier in Berlin zu eingreifenden Veränderungen führte. Wo sind sie? Sind sie das wirklich? Ist das schon alles?

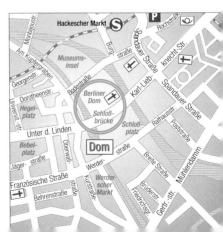

Bodestraße. Am Bauzaun vor dem Neuen Museum (Kriegsruine) zeigt ein Schreiber an, daß das amerikanische Imperium expandierte. Er schreibt englisch, und er bringt den Namen eines amerikanischen Dichters ins Spiel, der als Erfinder der Detektivgeschichte gilt. Die Phantasie gerät sofort in Fahrt; ebenso rasch erfaßt sie, daß ihr das Rätsel unlösbar bleibt. Denn wer Poe ist, weiß man – aber wer ist Paul? Poe starb 1849 in Baltimore – wie kann er jetzt Paul, zu Gast in Berlin, suchen?

Paul aus Baltimore, 22 Jahre alt und Student der amerikanischen Literatur, verehrt Poes Dichtung, seit er sie kennt, und hat stets einen Band dabei. Er lebt sozusagen unter den Augen dieses Dichters. Punktum. Aber wer teilt das der Stadt Berlin mit? Und warum?

174

175

Gaius Julius Caesar in der Antikensammlung, die das Alte Museum beherbergt, eine Gesellschaft von Heroen, die ausschließlich imaginär im selben Raum sich versammeln kann, live niemals. Jede bedeutende Stadt enthält solche steinernen Helden aus der Vergangenheit; sie möchten sie zu den Vorvätern und zugleich den ewigen Mitbewohnern der Stadt rechnen, die ihr Glanz verleihen und die Sicherheit einer andauernden Geschichte.

Wer sich richtig hinstellt, meint von Caesars Blick getroffen zu sein (der Fotograf stand falsch). Oder zeichnet es Caesars Blick aus, daß er an jedem staunenden Bürger vorbei und in die Ferne geht? (Dem Fotografen blieb es verborgen.)

Daß der Bürger dergestalt in der städtischen Antikensammlung den Blick Hitlers oder Stalins sucht, kann bis auf weiteres ausgeschlossen werden. Das verleiht dem Blick des Bürgers, wie er Caesars leeren Blick erwidert, solche Fülle.

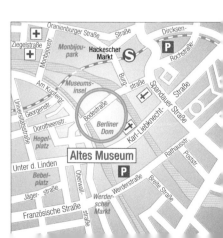

Im Innern der Stadt braucht das Wasser, welches das Schiffchen trägt, nicht mehr als Ausfluß eines unterirdischen Meeres vorgestellt zu werden. Das Wasser bildet einfach eine besondere Art von Straße, auf der man die Stadt als ganzes erblickte während einiger Stunden, eine Straße, auf der man jetzt unwiderstehlich in die Mitte der Stadt getragen wird: Man erkennt den Rundbau des Bodemuseums und den sozialistischen Fernsehturm.

Die Besucher ebenso wie die Einheimischen, die wieder mal als Besucher in ihrer eigenen Stadt unterwegs sein wollten, bereiten sich ruhig und mit Fassung darauf vor, daß sie sogleich den Höhepunkt des Schiffchenfahrens erreichen und überschreiten, den Mittelpunkt passieren. Was ohne Folgen bleibt.

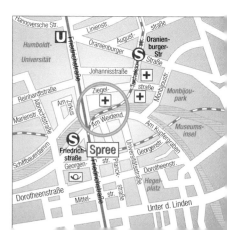

Die Urbevölkerung. Dies könnte die Literaturprofessorin sein, die eine Stelle in Greifswald inne hat, seit die Berliner Humboldt-Universität ihr einen Lehrstuhl verweigerte.

Voller Erinnerungen an die alte Zeit nimmt sie im *Ganymed* am Schiffbauerdamm eine Erfrischung ein: ein ehemaliger Treffpunkt von DDR-Künstlern, gleich neben Brechts Berliner Ensemble, aber nach der Wiedervereinigung blieb der Genius loci natürlich verschwunden (sagt die Literaturprofessorin).

Was der Literatur und den Professoren (und dem Theater) jetzt fehle, sei der starke Gegner, die Partei, der Staat. Hier konnte man feiern und über sie juxen, und das war immer wie nach einem großen Sieg. Nicht daß die Professorin und ihresgleichen seitdem nur Niederlagen einzustecken hatten. Was vor allem fehlt, sind die Siege, das Feiern im *Ganymed* ...

Aber vermutlich ist es jemand ganz anderes.

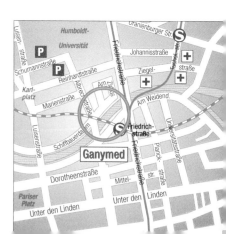

Unter den Linden konkurrieren Einheimische und Touristen um den Status der Urbevölkerung. Zwar sitzen wir hier in der Dependance eines renommierten Westberliner Cafés, aber die Kellnerin stammt aus Pankow und hält Westberlin für Nebensache. Zwar ist der weißhaarige Gast laut Reisepaß ein Bürger Kanadas, aber seine Familie emigrierte 1935 aus Berlin, und er nimmt hier eine Erfrischung ein, nachdem er in der Französischen Straße das Haus inspizierte, das immer noch ihm gehört. Der Fotograf schließlich (unsichtbar) kommt aus Westberlin und wuchs in Westdeutschland auf, aber sein Großvater war von 1905 bis 1945 Fotograf in Berlin und hat die Stadt in zahlreichen Ansichten überliefert, die der Enkel seit seiner Kindheit kennt, sodaß er sich als Ureinwohner betrachtet.

182

183

In der Vergangenheit, die allmählich dem Plusquamperfekt anheim-fällt, gehörte dieser U-Bahnhof zu den Geisterstationen, wo weder Westberliner noch Ostberliner Züge anhielten, nur Dämmer, Verfall, manchmal Grenzpolizei. Daß dort nichts weniger als die Mitte der Stadt sich befinde, schien soetwas wie ein Scherz. (Man braucht keine Mitte; jeder Einheimische kannte seine eigene, und das waren viele.)

Für den Westberliner verwandelten die Geisterstationen Ostberlin in eine versunkene Stadt, Atlantis. Längst durchquerte man das Gelände ohne Angst, aber in leiser Erregung. Man war hier in einer anderen Zeit, in einer Krypta der Geschichte – aber jetzt leuchtet das helle Licht der Gegenwart jede Einzelheit aus.

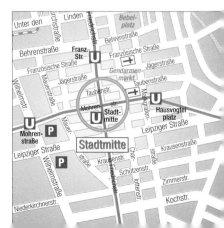

184
185

Längst wurde diese Baulücke zwischen Friedrichstraße und Gendarmenmarkt geschlossen, durch mehrere Paläste, die eher zu tadeln als zu loben den Einheimischen vorgeschrieben ist (insgesamt verlangen die Neubauten eher Abscheu als Bewunderung).

Die große Baugrube zwischen Friedrichstraße und Gendarmenmarkt erzählte Ostlern und Westlern komplett gegensätzliche Geschichten.

Der Westen erkannte seinen eigenen unbedingten Willen zum Aufbau, zur Verschönerung, zur Wiederbelebung der Stadtmitte. Geld spielt keine Rolle.

Der Osten erkannte zuerst die Zerstörung, die der Westen in seinem Aufbauwillen hervorrief. Daß dabei etwas Schönes, neues Leben herauskäme, bleibt unvorstellbar.

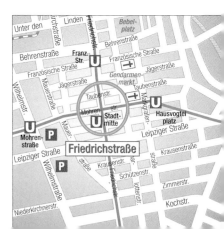

Dies ist eine der einfachsten und beliebtesten Techniken der Stadtverklärung: die Vernissage. Man lädt zu einem bestimmten Zeitpunkt in einen gewissen Raum – diesen aufgelassenen Frisiersalon in der Kronenstraße – und die Gemeinde derer, die sich an diesem Abend hier zufällig versammeln, bringt durch ihr inständiges Schauen und Warten das Wunder zustande: Transzendenz erscheint, die Kunstwelt.

Ob nun ad hoc eine Mauer eingerissen wird; ein alter Mann sich entkleidet und im letzten Moment seine Geschlechtsteile mit einem aufgeklappten Roman verdeckt; ein Eimer weiße Farbe auf den Estrich entleert wird, und die Anwesenden dürfen daraus eine schöne Ölmalerei gestalten.

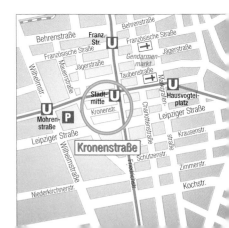

188

189

Dies könnte Dr. Hartwig sein, beim Lunch in dem Lokal, das sich unten im Haus der *taz* befindet, Kochstraße; ein paar Schritte weiter das Axel-Springer-Haus, einst direkt an der Mauer als Leuchtturm der Freiheit errichtet: ein anderer Roman.

Dr. Hartwig gehört zur Redaktion der *tageszeitung,* die Kulturseiten. 1993 veröffentlicht sie darin beispielsweise eine Analyse von Pornofilmen, ohne mit der Wimper zu zucken, wie man so sagt. »Sie kennen diese gleichförmige, elektronische, mit maschinell erzeugten Rhythmen unterlegte Musik aus Ihrem Supermarkt«, beginnt die Untersuchung. »Aber wissen Sie, daß dieselbe Musik auch in Pornofilmen zu hören ist?«

Dr. Hartwig stammt aus Hamburg. Später wird sie mit ihrem Mann, einem Kunstkritiker, nach Frankfurt am Main weiterziehen.

V om U-Bahnhof Möckernbrücke oder Mehringdamm kommend,
kannst du deine eigene Wohnung ignorieren und den nächsten
Umkreis beobachten, als wäre er die Fremde und der Einheimische
bloß der Besucher, der kommt und geht.

Dieser Verklärungstechnik kommt die Stadt dankbar entgegen, wenn
sie sich selbst mit Ereignissen inszeniert, die den nächsten Umkreis
verfremden: Statt des Autoverkehrs auf der Yorckstraße heute der
Marathonlauf, gute 42 Kilometer durch die ganze Stadt, und viele
Kleinbürger jeden Alters dürfen sich als Siegesboten fühlen, wie sie
die Nachricht überbringen, daß Miltiades im Jahr 490 v. Chr. die Per-
ser besiegt und damit der Stadt ihre Eroberung erspart hat.

Daß der Bote am Ziel tot zusammenbricht, gilt als Legende.

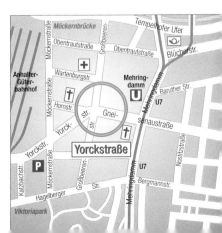

Ein Ladenlokal an der Yorckstraße, das lange leer stand. Dann wollte darin ein Imbiß florieren, der gleichzeitig türkische und afrikanische Cuisine anbot; in der Ecke ein Zimmerspringbrunnen. Dann zogen die Afrikaner aus. Dann gingen auch die Türken pleite.

Jetzt schrieb einer »Türken« an eine der Glasscheiben, mit weißer Ölfarbe, und der Kiez muß rätseln, wie das zu lesen sei.

Der Schreiber hätte »Türken raus« da anbringen wollen; wird aber unterbrochen. Doch sind die Türken ja längst raus. Der Schreiber hätte mitteilen wollen, daß die Türken (statt der Afrikaner) schuld seien an dem Bankrott. Doch erwies sich das als eine viel zu komplizierte Schreibaufgabe. – Der Schreiber hätte bloß sein Territorium markieren wollen: Dieser Laden ist für Türken, für alle Zeit.

So trifft die Stadt den Leser immer wieder mit Rätselschrift.

Von der Bergmannstraße behaupten die Bewohner gern – sofern sie schon mal in New York waren –, Kreuzberg gleiche hier Greenwich Village, und leicht findet sich ein junger Mann, der seinen Sommerkopf strahlend in die Kamera halten möchte, auch wenn sie ein Ostasiate oder Afrikaner auslöst.

Eigentlich sollte das Foto fehlen. Im Hintergrund des Männerkopfes will das Licht die ganze Hausfront wegbrennen: So soll die freie Landschaft wieder erstehen, könnte der Dichter behaupten. Der Kunstkritiker, wieder einmal zu Besuch in der Stadt, kommt auf eine grandiose Parallelstelle: Max Beckmanns berühmtes *Selbstbildnis im Smoking* von 1927, ein verschattetes, beinahe dunkelgraues Gesicht, gleichwohl leuchtend und alles Weitere illuminierend, als wäre es in diesem Raum die Zentralsonne.

Beckmann, Urstromtal, Greenwich Village – da kann man nur schwer widerstehen.

Das Plakat findet sich am Kreuzberger Marheinekeplatz, aber auch anderswo in der Stadt, und dort ziert es ebenfalls der handschriftliche Zusatz, in den Gegenden jedenfalls, wo der zornige junge Mensch keine Polizeikontrollen fürchtet.

Das Plakat, das der zornige junge Mensch verunzierte, wirbt für die Partei der Grünen, eine komplizierte Geschichte. Denn einst konnte der junge Mensch seinen Zorn ausschließlich dieser Partei anvertrauen – jetzt aber stellt sie den Außenminister der Bundesregierung und befürwortete einen Krieg in Jugoslawien.

So mußte der zornige junge Mensch selber zu einer Kriegsmaßnahme greifen und die glatte Stirn von Renate Künast mit einer Art Kainsmal markieren. Der Zweck der Regierung ist unter allen Umständen, daß der zornige junge Mensch sie verwerfen kann.

Die Verklärung der Stadt durch Schnee gelingt leicht. Bloß schwindet sie auf den Straßen gleich wieder, und die Hausdächer sind hochgebirgsartig weit entfernt.

Bleiben die Parks mit ihren Wiesen, auf denen der Schnee ungestört Auslage findet – wobei dieser schönen Kuhle in der Hasenheide, mit der Kreuzberg in Neukölln übergeht, unbedingt der Eisberg abzulesen ist, der sie vor ewiger Zeit in die Landschaft hobelte, in der noch jede Spur von Stadt fehlte. Hier darf sich der Städtebewohner also als der erste Mensch fühlen, der einsam der leeren Natur gegenübersteht.

Immer wieder vergällen Polizeikontrollen den Eiszeitspaziergang. Sie gelten den Drogenhändlern, die vorzüglich in der Hasenheide ihre Geschäfte machen, mit Gymnasiasten in der Großen Pause oder nach Schulschluß, wie es in der Zeitung heißt. Immer wieder findet man die schwarze Version der Stadt, wo die Verworfenen hausen.

Urplötzlich wäre die Stadt als ganze verworfen, wenn die Dämonen, die in der Vergangenheit warten und niemals schlafen, sich ihrer bemächtigten: Der Reichsadler, den die kleinen Jungs am Prenzlauer Berg nicht als Zeichnung auf ihren Drachen in den Spätsommerhimmel steigen lassen, hier in Neukölln hockt er sinnlos aus Stein und wartet auf den glatzköpfigen jungen Mann aus dem anderen Zorneslager, daß er damit die Glasscheibe des türkischen Imbiß zertrümmere, wenn nicht einen ausländischen Schädel.

Es ist einzugestehen, daß die Gefahren, die der Stadt ständig drohen, öffentlich oder in den Innenräumen, politische oder kriminelle Gefahren oder beides – es ist einzugestehen: die Stadt kann auch von ihrer eigenen Verwerflichkeit nie genug kriegen.

[Was auch immer die Phantasie aus den Wassern macht, die sich in
der Stadt zur Geltung bringen: Berlin liegt nicht am Meer.

Aber einen solchen Satz kann keine große Stadt auf sich sitzen lassen. Sie muß sich einen Zugang zum Meer verschaffen, womöglich in
Gestalt einer Repräsentanz, die sie dort in absentia vertritt.

Im Fall Berlins stellt diese Verkörperung die Insel Rügen, seit mehr
als hundert Jahren. Hier darf sich die große Stadt hemmungslos der
Unendlichkeit öffnen, wie sie ausschließlich das Meer darzustellen
versteht.

Um so hemmungsloser, als die große Stadt in ihrem Innern die Welt
zu verendlichen strebt, um sie zu bearbeiten, die Dauertätigkeit der
großen Stadt. Alles kommt in ihr vor. So bildet die See das absolute
Draußen, und Berlin kann sich nicht sattsehen.]

[Je weiter der Westler nach Osten vordringt – hier zu unbekannten Ortsnamen wie Treppeln oder Möbiskruge oder Neuzelle –, um so dichter präsentiert sich die Landschaft als Erscheinung.

Hier sollte Deutschland unermeßlich erweitert werden. Hier wurde Deutschland erheblich verkleinert, bis knapp vor die Hauptstadt, schon lange kein Problem mehr, denn mit den Erweiterungswünschen fielen auch die Verkleinerungsnotwendigkeiten fort: So lädt die Landschaft im Osten Berlins dazu ein, friedlich immer weiter zu fahren. Man wäre willkommen.

Aber man kann auch bleiben. Denn als Schatten, Krach und Schrekken ist der Krieg immer noch in diesem Raum, unwahrnehmbar. Weil ihn die Landschaft gründlicher beschweigt als die große Stadt.]

[Krakau. Die deutsche Besatzungsmacht führt eine Razzia durch, wobei wie gewöhnlich SS-Einheiten die Polizei unterstützen. Schäferhunde, Trillerpfeifen, Gummiknüppel, Schüsse in die Luft. Der Generalgouverneur auf dem Wawel wünscht einen Priester zu sprechen, der in der Untergrunduniversität Vorlesungen über Erkenntnistheorie hält. Auch lohnt jede Gelegenheit zur Einschüchterung der Einheimischen ...

Das war ein Scherz. Wir schreiben das Jahr 2000 und auf dem grandiosen Hauptplatz der schönen alten Stadt geht ein Wolkenbruch nieder. Eine Frau ohne Regenschirm hat sich in den Eingang des Stadtmuseums geflüchtet, wo sie von einem Fotoblitz getroffen wird, was ihr aber entgeht oder sie gleichgültig läßt, denn sie spricht den Fotografen, zu Besuch aus Berlin, mit keinem Wort darauf an.]

Nachweise

Seite 13:   Peter Handke, *Die Lehre der Sainte-Victoire.* Frankfurt/Main: Suhrkamp 1980, S. 94 f. Ich habe den Text redigiert. Auch bezieht er sich nicht auf den Kreuzberg, sondern auf den Matthäusfriedhof an der Monumentenstraße. Allerdings gelangt man unvermeidlich auf den Kreuzberg, wenn man der Monumentenstraße weiter folgt.

Seite 17:   Christopher Isherwood, *Leb wohl, Berlin.* Frankfurt/Main, Berlin 1986: Ullstein 1986, S. 73 f.

Seite 25:   Viktor Šklovskij, *Zoo oder Briefe nicht über die Liebe.* Frankfurt/Main: Suhrkamp 1980, S. 34.

Seite 35:   Hermann Kasack, *Die Stadt hinter dem Strom.* Frankfurt/Main: Suhrkamp 1994, S. 31.

Seite 53:   Gottfried Benn, *Gesammelte Werke.* Wiesbaden: Limes 1960 Band 3, S. 23.

Seite 77:   Georg Heym, *Gedichte.* München, Zürich: Piper 1986, S. 17.

Seite 99:   Kurt Tucholsky, *Panther, Tiger & Co.* Reinbek: Rowohlt 1954, S. 38.

Seite 165:   Erich Kästner, *Pünktchen und Anton.* Berlin: Williams & Co. o. J., S. 24.

Seite 167:   Alfred Döblin, *Berlin Alexanderplatz.* Frankfurt/Main: Ullstein 1960, S. 133 u. 134.